Chantal Lacroix, en collaboration avec Jimmy Sévigny

LES ÉDITIONS LACROIX

- **Courriel :** info@editionslacroix.com
- **Chef culinaire :** Amy Dramilarakis, de chez l'Artichaud
- **Photographie, stylisme culinaire et accessoires :** Sophie Carrière
- **Direction artistique, conception et infographie :** TVA Accès
- **Photographies de Chantal Lacroix et de Jimmy Sévigny :** Bruno Petrozza et Daniel Daignault
- **Collaboration :** Stéphanie Ferland, Dt. P.
- **Collaboration DVD :** Caroline Bibeau, Glenda Boivin, Isabelle Coallier, Martine Gagnier, Elisabeth Gendron, Amélie Lesage, Caroline Normandin, Marie-Claude Phaneuf, Vicky Poulin, Julie Riendeau, Stéphanie Roch, Marie-Eve Rocque, Alicia St-Amant, Joanie Tardif et Catherine Trépanier
- **Maquillage :** Richard Bouthilier, Leah Todoruk, Valérie Houle
- **Coordination :** Jimmy Sévigny

ISBN 978 2981 4273 35

Dépôt légal - Bibliothèque et Archives nationales du Québec, 2014

Dépôt légal - Bibliothèque et Archives Canada, 4e trimestre 2014

Distributeur : Les Éditions Flammarion ltée

Les vêtements sont une gracieuseté d'Arc'teryx et de Salomon.
Les cardiofréquencemètres sont une gracieuseté de la compagnie Polar.
Le tournage du DVD a eu lieu à l'école L'avenir de Laval.

« Le plus pauvre n'échangerait pas sa santé pour de l'argent, mais le plus riche donnerait tout son argent pour la santé. »

— Charles Caleb Colton (1780-1832)

Depuis la parution du livre *MAIGRIR*, nous avons vu des résultats incroyables ! Non seulement cet ouvrage a aidé beaucoup de gens à perdre du poids, mais il a également réussi à améliorer leur état de santé en général. Les recettes que nous avons proposées ainsi que tous les conseils que nous avons donnés ont aidé bon nombre de personnes à retrouver le chemin de la forme ! Seulement quelques semaines après sa publication, les gens nous demandaient déjà : « À quand la suite ? »

Devant tant d'engouement et de résultats spectaculaires, nous avons décidé de nous mettre à la tâche et d'écrire un nouveau livre sur le sujet. Un ouvrage qui répondrait encore plus à vos besoins en vous offrant de nouvelles recettes santé, plus alléchantes les unes que les autres, des collations coupe-faim, des conseils sur l'entraînement ainsi que des textes sur la motivation. Finalement, en grande primeur, nous avons créé un DVD qui vous permettra de vous entraîner dans le confort de votre foyer, tout en optimisant votre perte de poids. Bref, vous trouverez tout ce dont vous avez besoin afin de démarrer ou de continuer votre processus de remise en forme.

Dans cette optique, nous sommes fiers de vous présenter notre deuxième tome du livre *MAIGRIR* ; un ouvrage rehaussé en santé ! Nous espérons de tout cœur que vous aurez autant de plaisir à le lire et à mettre en pratique tous les conseils qui s'y trouvent que nous avons eu à l'écrire. Gardez toujours en tête que la santé est la chose la plus précieuse qui vous ait été donnée et qu'il est important d'en prendre soin.

Chantal et Jimmy

Table des matières

Table des matières

Continuez d'avancer...

Depuis longtemps, mon intérêt pour la santé et le mieux-être ne cesse de grandir. En effet, d'année en année, lors de nos camps, de nos retraites santé, de nos émissions de télévision, comme dans les livres que l'on a écrits, je vois des milliers de gens qui améliorent leur état de santé. Cela vient encore plus renforcer mon idée qu'il est possible d'adopter un mode de vie sain et actif lorsqu'on dispose des bons outils pour y arriver. Lors de la parution du livre *MAIGRIR*, vous avez été nombreux à m'en vanter les mérites. Tandis qu'une personne me parlait d'une recette délicieuse à faible teneur en calories, l'autre annonçait le succès qu'elle avait obtenu en incorporant notre aliment coupe-faim à son déjeuner.

Il restait tant de sujets à aborder en ce qui a trait à la saine alimentation, à l'entraînement et à la motivation ! De plus, depuis la publication du premier tome de *MAIGRIR*, j'ai eu la chance de goûter à de nouvelles recettes santé qui m'ont emballée. Je me devais de vous les faire connaître afin que vous puissiez, tout comme moi, réaliser que la santé a bon goût. Également, vous trouverez dans ce deuxième tome, le plan alimentaire des participants de *Maigrir pour gagner* (Canal Vie) qui ont obtenu des pertes de poids spectaculaires ! Pour ce qui est de l'entraînement, nous nous sommes assurés de vous en donner pour votre argent en vous offrant un DVD d'entraînement en groupe qui saura vous motiver à coup sûr !

Dans votre processus, il se peut qu'il vous arrive de trébucher ; c'est normal ! Moi-même, il m'arrive parfois d'avoir de la difficulté à toujours bien m'alimenter ou à m'entraîner de façon ardue. Justement, concernant l'entraînement, il n'y a rien de plus motivant que de s'entraîner en groupe. C'est pourquoi j'ai demandé à Jimmy de créer un DVD d'entraînement à la fois rassembleur et efficace ! Gardez toujours en tête qu'il est humain de tomber... mais qu'il est divin de se relever.

Bonne lecture !

– *Chantal*

Gardez toujours en tête qu'il est humain de tomber... mais qu'il est divin de se relever.

Tout est possible !

Si l'on m'avait dit à 19 ans — quand mon poids était de 452 lb —, que l'entraînement et la saine alimentation allaient faire partie intégrante de ma vie, jamais je ne l'aurais cru. Au fil du temps, et petit à petit, l'idée a fait du chemin et j'ai progressivement changé mes habitudes. Je peux vous dire que mes premiers mois d'entraînement n'ont pas été de tout repos. En effet, mon corps n'appréciait pas du tout son nouveau rythme. Tantôt, je brisais les tapis roulants à cause de mon poids excessif, tantôt je me rendais à l'hôpital pour un problème respiratoire. Toutefois, malgré tout cela, je suis arrivé à être en santé et surtout... à aimer cela !

Lorsque l'on a écrit le premier tome de *MAIGRIR*, je m'étais assuré que l'on y retrouve des recettes santé, mais aussi des conseils sur l'entraînement et la motivation. On sait que, sans cette dernière, il peut être difficile d'avancer. Lors de la sortie du livre, les gens n'en revenaient pas de voir à quel point il était facile d'utilisation. Bref, que ce soit lors d'une conférence ou d'un entraînement, tous voulaient la suite.

Il faut se fixer des buts avant de pouvoir les atteindre.

- Michael Jordan

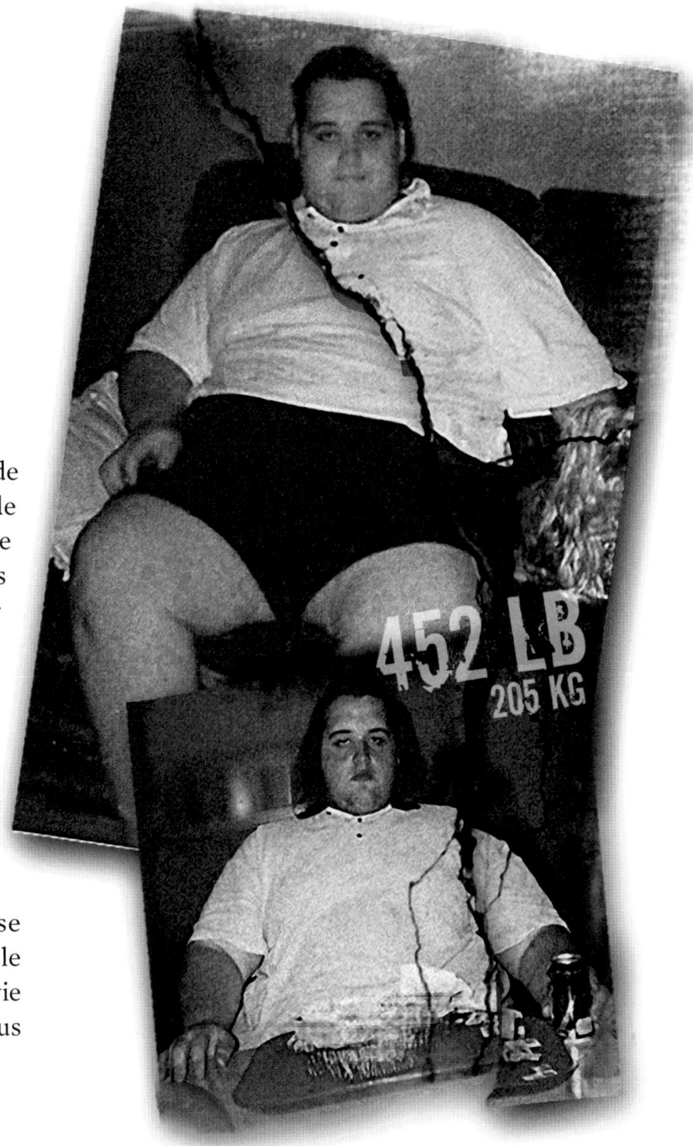

Devant le succès du premier livre, le défi était de taille : il fallait offrir un produit qui allait sortir de l'ordinaire et qui allait vous aider à mettre encore plus de chances de votre côté dans votre processus de perte de poids ou de remise en forme. C'est pour cette raison que je suis fier de vous présenter le livre *MAIGRIR 2*, qui contient maintenant un DVD d'entraînement. Vous pourrez vous entraîner tout en suivant mes conseils et surtout... en vous amusant à bouger. De plus, vous y trouverez le plan alimentaire ainsi que tous les conseils donnés aux participants de la télé-série *Maigrir pour gagner* (Canal Vie). Des trucs simples, pratiques et surtout... efficaces !

En ce qui concerne votre perte de poids, il se peut que le pèse-personne n'indique pas toujours le résultat escompté. Lorsque cela se produira et que l'envie d'abandonner pointera le bout de son nez, rappelez-vous pour qui vous avez commencé : pour vous !

Bon entraînement !

– *Jimmy*

Comment utiliser ce livre ?

Tout comme dans le premier tome du livre *MAIGRIR*, nous avons décidé d'y aller simplement. Vous devez choisir un déjeuner, un dîner et un souper afin d'atteindre le nombre de calories requises. Il n'y a rien à calculer, mis à part le total de vos trois repas, collations et dessert s'il y a lieu.

Depuis toutes ces années où nous avons suivi des milliers de gens dans leur processus de perte de poids, nous en sommes arrivés à trois grandes conclusions.

1 Pour les femmes, afin d'avoir une perte de poids saine et équilibrée, il est recommandé de consommer entre 1300 et 1400 calories par jour. Pour les hommes, il est plus question de 1400 à 1500 calories par jour. Ce léger surplus de calories s'explique par le fait que la masse musculaire des hommes est plus développée.

2 Vous devez bouger chaque fois que l'occasion se présente. Pour ce faire, vous n'avez pas nécessairement besoin de planifier un entraînement de course à pied ou de faire partie d'une équipe sportive. Vous pouvez marcher, exécuter le DVD d'entraînement inclus dans ce livre, prendre les escaliers, stationner votre automobile plus loin dans les espaces de stationnement, etc. Tous ces petits changements vous permettront d'atteindre de grands résultats au fil des semaines et des mois.

3 Lorsque c'est possible, il est préférable de cuisiner et de manger des aliments que vous allez transformer vous-même. De cette façon, vous vous assurez de mettre toutes les chances de votre côté en donnant le meilleur carburant possible à votre corps.

Si vous respectez ces trois règles, la perte de poids sera au rendez-vous ! Bien entendu, certains facteurs tels que votre âge, votre sexe et votre poids de départ peuvent influencer le nombre de calories que vous aurez besoin de consommer tout au long de la journée.

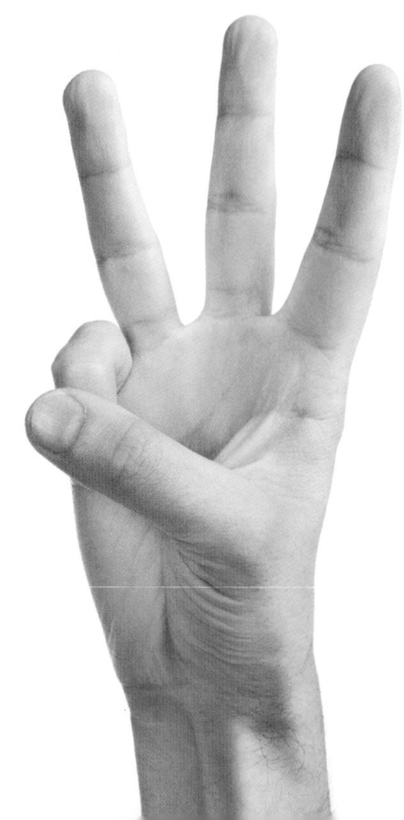

QUE FAIRE SI JE PERDS DU POIDS TROP RAPIDEMENT?

Après la première semaine d'entraînement, il se peut que le pèse-personne indique une grande différence avec votre poids de départ. Ne vous fiez pas à ce résultat, car lors de la première semaine d'un processus de perte de poids, vous perdez surtout de l'eau et le transit intestinal aura tendance à s'accélérer. Cela est dû au fait que vous consommez plus de fibres et que vous bougez davantage. Toutefois, si lors de la deuxième semaine votre perte de poids est plus grande que 3 lb, il vous faudra consommer un peu plus de calories. Ajoutez, par exemple, une ou deux collations par jour (voir chapitre collations).

COMMENT UTILISER LE DVD?

Afin de mettre toutes les chances de votre côté et de ressentir les bienfaits de l'activité physique, il est impératif de bouger. Le DVD d'entraînement a été conçu de façon à vous permettre d'évoluer à votre rythme. Il suffit d'écouter les consignes de Jimmy et de foncer! Afin de bien commencer votre programme, nous vous recommandons d'exécuter la routine d'exercices (DVD) à raison de trois à quatre fois par semaine. Avant d'entreprendre un programme d'activité physique, assurez-vous que vous êtes en bonne forme physique. En cas de doute, consultez votre médecin.

QUE FAIRE SI LES EXERCICES SONT TROP DIFFICILES OU TROP FACILES?

Pour chaque exercice, nous vous offrons trois niveaux de difficulté différents. À vous de choisir celui qui convient le mieux à votre condition physique actuelle. Si vous sentez que la séance devient de plus en plus difficile, changez pour un niveau plus facile, ou arrêtez-vous quelques instants pour faire une pause. Recommencez lorsque vous êtes prêt.

QUE FAIRE SI JE SUIS COURBATURÉ APRÈS LE PREMIER ENTRAÎNEMENT?

Les premières semaines, il se peut que votre corps vous fasse comprendre qu'il n'est plus aussi bien entraîné que lorsque vous étiez en meilleure condition physique. En effet, dès la première semaine, il est possible que vous ressentiez des douleurs musculaires après l'entraînement. Si c'est le cas, ne vous en faites pas; c'est normal! Vous pourrez tout de même continuer à vous entraîner en diminuant votre rythme. Vous verrez, après quelques semaines d'entraînement avec le DVD, cela sera derrière vous et les douleurs musculaires seront chose du passé.

Soyez positif par rapport à votre nouveau style de vie ! Ne voyez pas cela comme des difficultés et des privations, mais bel et bien comme un moyen d'investir dans la chose la plus importante : votre santé !

CHAPITRE 1

COMPRENDRE VOTRE CORPS

LE MÉTABOLISME DE BASE

Lorsqu'on parle du métabolisme de base, on réfère au nombre de calories nécessaires à un être humain pour maintenir ses fonctions vitales, bref pour survivre ! Même lorsque vous êtes au repos, votre cœur, vos poumons et vos muscles ont besoin d'énergie. Pour bien fonctionner et être en santé, l'organisme d'une femme a besoin quotidiennement d'environ 1300* calories et celui d'un homme, d'environ 1500* calories. Dès que vous bougez, votre fréquence cardiaque augmente et votre dépense énergétique également.

Pour mesurer la dépense énergétique totale dans votre journée, il existe une formule préétablie : Métabolisme de base (MB) + Dépense énergétique de la journée (DE) = Dépense énergétique totale (DET).

Exemple

Examinons le cas d'Hélène, dont le métabolisme de base est d'environ 1300 calories. Puisqu'elle est active au travail durant la journée, elle dépense environ de 500 à 600 calories. Le soir, elle fait une séance de musculation de 45 minutes au centre de conditionnement physique, ce qui lui permet d'éliminer environ 200 calories. Dans une journée, sa dépense énergétique totale sera approximativement de 700 calories. Si elle réussit à absorber les 2000 calories dont son organisme a besoin (MB + DE) grâce à l'alimentation, elle aura trouvé un équilibre. Cependant, si elle n'y parvient pas avec la nourriture, son organisme devra trouver une source d'énergie alternative, soit les réserves de graisses corporelles. C'est de cette façon que l'on perd du poids.

* Différents calculs servent à déterminer votre métabolisme de base, qui peut être influencé par divers facteurs tels que votre âge, votre sexe ainsi que votre condition physique. Nous avons décidé d'y aller le plus simplement possible avec des valeurs générales.

COMMENT PREND-ON OU PERD-ON DU POIDS?

Une croyance veut qu'on puisse maigrir uniquement en pratiquant une activité physique sur une base régulière, sans modifier son alimentation. Sachez qu'il est possible d'y arriver. Toutefois, sans modifications de vos habitudes alimentaires, les résultats risquent de vous décevoir. On estime généralement que l'alimentation compte pour environ 70 % dans la perte de poids et l'exercice physique, pour 30 %.

Par exemple, selon votre âge et votre poids, effectuer 30 minutes de marche rapide par jour vous permettrait d'éliminer de 200 à 300 calories, soit l'équivalent de l'énergie contenue dans un cornet de crème glacée molle ou un petit morceau de gâteau au chocolat. Étant donné qu'une seule livre de graisse contient 3500 calories, il est peu réaliste de croire que votre poids diminuera de façon exponentielle uniquement en pratiquant un programme de marche rapide ou de jogging (ou toute autre activité) !

Cependant, le fait de bouger vous portera naturellement à faire de meilleurs choix alimentaires, et les changements hormonaux qui s'opèrent durant un entraînement vous aideront à atteindre vos objectifs plus rapidement. Il est extrêmement rare qu'une personne ait envie de consommer de la malbouffe après un entraînement. Le processus est comme une spirale : plus vous ferez de l'exercice, plus vous aurez envie de mieux vous alimenter et de performer.

LA FRÉQUENCE CARDIAQUE

La fréquence cardiaque correspond au nombre de battements de votre cœur par minute. Chaque personne a une fréquence cardiaque maximale (FC MAX). Afin de la déterminer, il suffit d'effectuer une équation fort simple : 220 – Âge = Fréquence cardiaque maximale (FC MAX).

À QUELLE INTENSITÉ DEVEZ-VOUS VOUS ENTRAÎNER?

Une chose est claire : si vous augmentez l'intensité durant votre entraînement, votre fréquence cardiaque augmentera aussi. Dans un processus de perte de poids, il est important d'y aller à un rythme soutenu plutôt que de vous époumoner et de vouloir tout abandonner après cinq minutes d'exercice. Pour optimiser l'utilisation de vos réserves de graisses corporelles à l'effort, votre organisme a besoin d'oxygène. Plus votre entraînement sera intense et moins votre corps sera en mesure d'utiliser cet oxygène. Résultat : vos réserves de graisses seront délaissées progressivement pour une source d'énergie plus rapide : vos réserves de glycogène*.

Les trucs du coach

Diversifiez votre entraînement. Si vous n'aimez pas la monotonie, pratiquez plus d'un sport ou plus d'une activité physique. De cette façon, vous mettrez toutes les chances de votre côté.

* Glycogène : Réserve limitée de glucose (sucres) stockée dans les muscles et le foie.

LES ZONES D'ENTRAÎNEMENT

Lorsqu'il est question d'optimiser son entraînement, il est important d'y aller en tenant compte des zones. Chacune d'entre elles correspond à un pourcentage de votre fréquence cardiaque maximale (voir explications p. 15).

Nous présentons ici un résumé des cinq zones qui correspondent à votre intensité lorsque vous bougez. Bien que vous puissiez vous entraîner selon les zones en vous fiant aux signaux que vous envoie votre corps (essoufflement, douleurs musculaires, etc.), notez que l'achat d'une montre de type cardiofréquencemètre* de marque POLAR vous serait utile.

ZONE 1 › *de 50 à 60 %* / FC MAX (ACTIVITÉ FAIBLE/MODÉRÉE)

Si vous n'avez pas fait d'exercice depuis un bon moment, cette zone est idéale pour démarrer un programme de remise en forme. Dans la zone 1, vous pourrez vous entraîner un long moment. Vous ne devriez ressentir aucune douleur ni aucun malaise. Vous serez peu ou pratiquement pas essoufflé et en mesure de tenir une conversation.

ZONE 2 › *de 61 à 70 %* / FC MAX (ENDURANCE ET UTILISATION DES GRAISSES)

Vous découvrirez votre réelle endurance, soit l'endurance de base. Celle-ci correspond à votre capacité à maintenir un effort de faible à moyenne intensité durant une bonne période de temps. Vous ne devriez éprouver aucune douleur durant vos efforts, et maîtriserez relativement bien votre respiration. Dans une démarche de perte de poids, la zone 2 est appréciable, car vos réserves de graisses corporelles demeurent le principal carburant utilisé durant vos exercices. Par ailleurs, c'est à partir de cette zone que votre corps commencera à ressentir les bienfaits de l'entraînement aérobique.

---

* Montre cardiofréquencemètre: Montre qui indique la fréquence cardiaque ainsi que le nombre de calories dépensées durant l'entraînement.

** Zone aérobique: Zone où votre corps utilise l'oxygène à l'effort.

*** Zone anaérobique: Zone où votre corps utilise de moins en moins d'oxygène à l'effort.

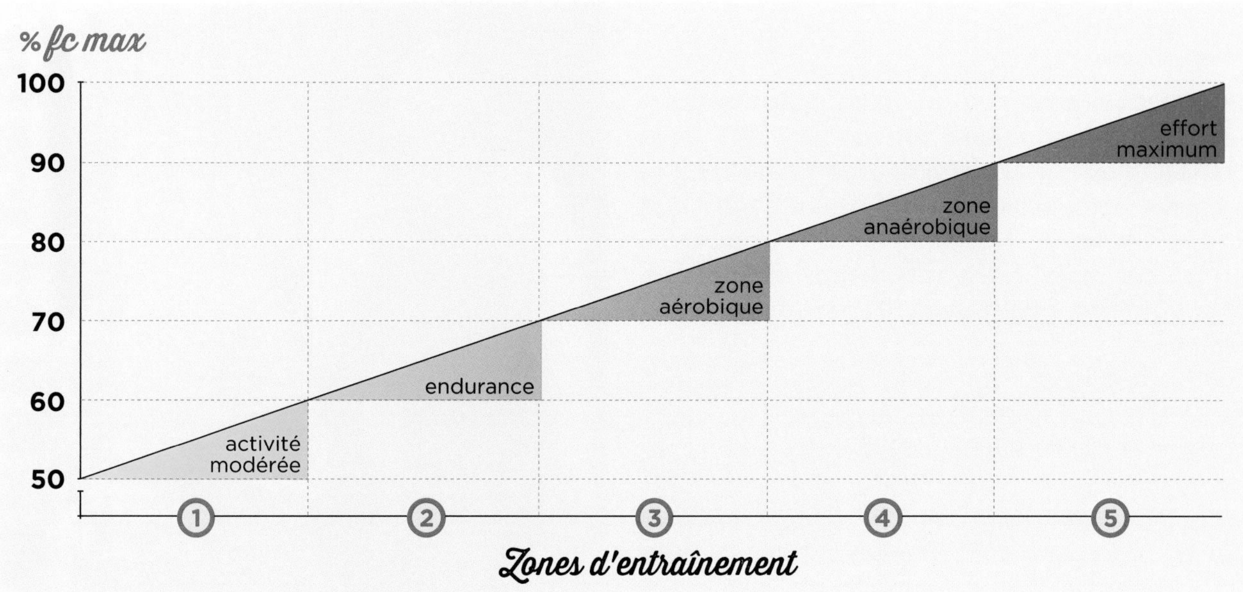

ZONE 3 › *de 71 à 80 %* / FC MAX (ZONE AÉROBIQUE**)

C'est une zone rentable ! En plus d'améliorer votre système respiratoire, vous retirerez tous les bénéfices associés à la santé du cœur. Au fil des semaines et des mois, vos efforts vous paraîtront moins exigeants. Par exemple, si vous étiez habitué de courir 10 kilomètres en 60 minutes, il y a de fortes chances que vous courriez la même distance en moins de temps et en vous sentant moins fatigué à la fin. En zone 3, de légères douleurs musculaires pourraient se faire sentir après plus de 15 minutes d'entraînement, votre respiration sera sans doute difficile mais contrôlable, et maintenir une conversation deviendra plus difficile.

ZONE 4 › *de 81 à 90 %* / FC MAX (ZONE ANAÉROBIQUE***)

Si vous désirez adopter un mode de vie sain et actif sans plus, vous n'aurez probablement jamais à explorer cette zone. Cependant, pour tous ceux et celles qui désirent optimiser leurs performances, la zone 4 aidera leur corps à métaboliser efficacement l'acide lactique (déchets musculaires). De plus, après quelques semaines ou quelques mois d'entraînement, vous devriez être capable de fournir un plus grand effort sur une période de temps plus longue, tout en maintenant une fréquence cardiaque plus basse. Vous risquerez de ressentir des douleurs musculaires, votre respiration sera plus bruyante et tenir une conversation deviendra très laborieux.

ZONE 5 › *de 91 à 100 %* / FC MAX (EFFORT MAXIMUM)

Cette zone est recommandée uniquement aux sportifs qui poursuivent un but bien précis : performer ! Si vous souhaitez atteindre un certain niveau de performance et que vous êtes expérimenté, la zone 5 est appropriée. Les temps d'entraînement sont très courts et souvent espacés par de longues périodes de repos actif (par exemple 15 secondes de vélo en zone 5 suivies de 3 minutes en zone 2). Des douleurs musculaires assez intenses pourraient se manifester, votre respiration sera souvent en mode « perte de contrôle », et il vous sera impossible de tenir une conversation.

En résumé :

Si vous êtes une personne sédentaire et que votre objectif est d'optimiser votre perte de poids, essayez de vous maintenir dans les zones 2 et 3 lorsque vous vous entraînez.

L'IMPACT DE L'ACTIVITÉ PHYSIQUE SUR VOTRE CORPS

En entreprenant seul ou avec d'autres personnes un programme d'activité physique, vous réaliserez que la dépense énergétique associée à cet exercice n'est qu'un des avantages que vous en retirerez. Non seulement vous perdrez du poids, mais votre corps subira plusieurs changements bénéfiques. Regardons cela de plus près.

LE FACTEUR PHYSIQUE

Lorsque vous vous entraînez, vous contribuez à la bonne santé de votre ossature , car la pression continuelle de l'exercice sur vos articulations freine la dégénérescence osseuse. Vous augmenterez ou conserverez également votre tonus musculaire et votre cœur sera plus performant. En général, les personnes qui bougent et les sportifs ont une meilleure circulation sanguine, car à chaque battement, le cœur fait mieux circuler le sang.

L'ASPECT HORMONAL

Vous êtes-vous déjà demandé pourquoi vous n'aviez pas faim après un entraînement ? Cette situation est due, en bonne partie, aux hormones. Il en existe deux principales qui régularisent la faim : la leptine qui coupe l'appétit et la ghréline qui le stimule. Une étude récente de l'*American Journal of Physiology* a démontré que pratiquer une activité physique de type cardiovasculaire pendant 60 minutes provoque une diminution significative du taux de ghréline et une augmentation de celui de leptine. De plus, des recherches expliquent que les personnes qui s'entraînent pendant une longue période évitent les rages de sucre souvent causées par les fatigues de l'après-midi.

Par ailleurs, lorsque vous vous adonnez à une activité de type cardiovasculaire, votre cerveau sécrète des endorphines. Ces hormones agissent comme un anxiolytique* sur votre organisme : elles abaissent le taux d'anxiété et ont un effet antifatigue naturel. C'est bien connu : les personnes qui font de l'exercice régulièrement présentent normalement un niveau d'énergie beaucoup plus élevé.

L'ASPECT MENTAL

Les personnes souffrant d'anxiété ont tout intérêt à bouger si elles veulent améliorer leur état de santé mentale. Trente minutes d'activité physique ont un effet immédiat sur le niveau d'anxiété. Les personnes qui font de l'exercice géreraient mieux le stress. Finalement, selon des recherches en cours, pratiquer une activité physique pendant une longue période améliorerait généralement l'humeur et la qualité du sommeil. Cela permet d'optimiser la journée du lendemain.

* Anxiolytique : Substance qui a un effet anti-anxiété.

L'IMPORTANCE DU SOMMEIL POUR PERDRE DU POIDS

Il n'est plus à démontrer que, afin de perdre du poids, il est important de bien s'alimenter et de bouger. Toutefois, un nouvel élément clé dans la perte de poids fait de plus en plus parler de lui : le sommeil.

En effet, les recherches sur le sujet tendent à démontrer qu'il y a un lien direct entre le tour de taille et le nombre d'heures de sommeil de qualité que l'on dort par nuit. Une récente étude a même révélé que le fait de réduire du tiers le temps de sommeil d'une personne pouvait amener cette dernière à consommer jusqu'à 500 calories de plus par jour ! Soyons réalistes, lorsque vous n'avez pas assez dormi, vous êtes fatigué et vous cherchez à vous redonner de l'énergie rapidement par de la nourriture. Bien entendu, les aliments utilisés sont souvent des cafés remplis de crème et de sucre, des sucreries, des boissons énergisantes, des pâtisseries, etc. Consommer ce type de nourriture vous donnera certes un regain d'énergie, mais cela ne durera que quelques minutes, une heure au plus, et vous laissera avec des calories superflues. De plus, lorsque vous manquez de sommeil, la malbouffe devient beaucoup plus attirante que lorsque vous avez passé une bonne nuit de sommeil. Donc, mieux vous dormez, plus votre niveau d'implication vis-à-vis votre entraînement sera important.

Sur le plan physiologique, le fait de bien dormir vous permettra aussi de mieux régulariser votre cycle hormonal. Certaines hormones (ghréline et leptine) sont responsables de gérer les signaux de faim et de satiété. Lorsque vos heures de sommeil sont optimales, vous régularisez de façon naturelle votre taux d'hormones qui contrôlent l'appétit. Cela évite du même coup de consommer des calories superflues.

MANGER LE SOIR

Le mot sommeil rime avec récupération. Si, lorsque vous vous couchez, vous avez le ventre plein et que vous avez consommé quelques verres de trop, le temps consacré à cette période de repos ne vous servira pas à récupérer, mais bel et bien à digérer. Même si vous dormez huit heures, il se peut fort bien que vous soyez fatigué le lendemain, car votre corps n'aura pas eu la chance de se reposer au cours de la nuit, trop occupé à digérer le repas du soir. Afin d'avoir un sommeil de qualité, il est déconseillé de manger après 21 h ou deux heures avant d'aller au lit.

COMBIEN D'HEURES DOIS-JE DORMIR ?

Bien que le nombre d'heures puisse varier d'une personne à l'autre, on considère qu'un adulte devrait dormir entre 7 h 30 et 8 h 30 par jour.

Une récente étude a même révélé que le fait de réduire du tiers le temps de sommeil d'une personne pouvait amener cette dernière à consommer jusqu'à 500 calories de plus par jour !

Mot du coach

Il n'y a aucune étude qui prouve hors de tout doute que le fait de s'entraîner en soirée puisse nuire à votre sommeil. Mon conseil ? Vous pouvez vous entraîner le soir, tout en vous assurant de ne pas dépasser vos limites. Évitez cependant d'aller dans la zone 5 (consultez le tableau des zones d'entraînement en page 17).

LA MÉNOPAUSE

Dans la vie d'une femme, il peut arriver que certains moments soient plus propices à la prise de poids. L'un d'entre eux est sans contredit la ménopause. Bouffées de chaleur, sueurs nocturnes et changements corporels ne sont que quelques effets de cette période de transition chez la femme. Mais est-ce que la ménopause fait réellement engraisser?

Normalement, la ménopause survient autour de la cinquantaine. Lorsqu'elle se produit, le taux d'œstrogènes (hormones féminines) et le métabolisme de base diminuent. Cette diminution entraînera définitivement une baisse de vos besoins en énergie (alimentation). En général, cette baisse est de l'ordre de 100 à 200 Kcal par jour. Cela peut sembler banal, mais si vous ne modifiez pas vos habitudes, c'est de 700 à 1400 Kcal par semaine qui seront converties en graisses corporelles. En sachant qu'il faut 3500 calories d'énergie accumulées afin de créer 1 lb de graisse, cela représente un gain de poids de ¼ à ½ lb par semaine. Au début, il se peut que vous trouviez cette prise de poids négligeable, mais à la fin de l'année, vous pourriez avoir un gain de poids de l'ordre de 13 à 26 lb.

COMMENT FAIRE POUR DIMINUER LES EFFETS DE LA MÉNOPAUSE?

Comme nous l'avons expliqué plus haut, la ménopause en soi n'est pas responsable de la prise de poids; cela est en grande partie dû à votre métabolisme qui ralentit. Afin de contrecarrer la prise de poids, voici ce que vous devez faire:

1. Augmentez votre niveau d'activité physique (environ de 20 à 30 minutes de plus par jour).
2. Augmentez votre consommation de fruits et légumes (surtout de légumes).
3. Diminuez votre apport énergétique de 100 à 200 Kcal par jour (ne jamais descendre en deçà de 1200 Kcal par jour).

Qu'en est-il de l'hormonothérapie?

On a souvent cru à tort que la prise d'hormones faisait engraisser. Il est effectivement possible que le pèse-personne indique quelques livres de plus lorsque vous vous pesez. Toutefois, cela est attribuable en grande partie à la rétention d'eau causée par la médication et non à l'accumulation de graisses. En bref, l'hormonothérapie ne fait pas grossir si elle est bien adaptée.

Préférez les fruits entiers aux jus de fruits. Ils contiennent plus de fibres alimentaires et sont plus longs à digérer, ce qui contribue à augmenter votre taux de satiété.

CHAPITRE 2

ABC DE L'ALIMENTATION

Comprendre ce que vous mangez

Quand on sait exactement ce qui se retrouve dans notre assiette, il est nettement plus facile de faire des choix judicieux et éclairés pour améliorer le processus de perte de poids. Qui n'a jamais entendu l'expression: « Nous sommes ce que nous mangeons » ? La signification de cette expression prend effectivement tout son sens quand on fait des choix sensés pour devenir et rester une personne en meilleure santé.

La règle est simple. Pour être en meilleure santé, vous devez fournir à votre corps des aliments nutritifs et sains autant que possible. Les nutriments que l'on retrouve dans les aliments jouent plusieurs rôles différents. Certains assurent une bonne croissance et un bon maintien des os, d'autres aident à maintenir une température corporelle constante, et d'autres encore contribuent au bon fonctionnement du système digestif, des processus vitaux ou à la santé de la peau. Les nutriments se classent en six grandes catégories: les glucides, les lipides, les protéines, l'eau, les vitamines et les minéraux.

Bon à savoir

L'alcool nous apporte également des calories: chaque gramme compte 7 calories.

SEULS LES GLUCIDES, LES PROTÉINES ET LES LIPIDES APPORTENT DE L'ÉNERGIE À VOTRE CORPS.

1 gramme de glucides	=	4 calories
1 gramme de protéines	=	4 calories
1 gramme de lipides	=	9 calories

LES GLUCIDES (SUCRES)

Les glucides, aussi appelés hydrates de carbone, sont la principale source d'énergie du corps et du cerveau. À eux seuls, ils représentent environ de 45 % à 55 % de l'apport énergétique recommandé quotidiennement. C'est dans les glucides que nous retrouvons les fibres alimentaires qui aident à prévenir la constipation et le risque de développer un cancer colorectal, et à optimiser notre santé cardiovasculaire. Malheureusement, plusieurs personnes retirent les glucides de leur alimentation dans l'objectif de perdre du poids plus rapidement. Or, comme il s'agit du seul nutriment dont se nourrit notre cerveau, ces personnes se retrouvent souvent avec de grandes baisses d'énergie, ce qui les empêche d'être actives et de fonctionner à leur plein potentiel. Dans un processus de perte de poids, il est primordial de limiter la consommation de glucides rapides et de privilégier les glucides lents, tels que les pains, les pâtes alimentaires à grains entiers, le riz, les fruits, les légumes et les légumineuses.

SUCRES RAPIDES	SUCRES LENTS
Pain de farine blanche enrichie	Pain de blé entier à 100 %, intégral ou moulu sur pierre
Pâtes de farine blanche enrichie	Pâtes de blé entier à 100 %
Riz blanc	Riz brun
Pommes de terre en purée	La plupart des légumes et fruits
Chocolat et bonbons	Légumineuses
Boissons gazeuses	Lait et boisson de soya

LES LIPIDES

Les lipides sont riches en calories (9 calories pour 1 gramme), mais tout de même nécessaires au bon fonctionnement de l'organisme. Ils servent, entre autres, à transporter des vitamines liposolubles* (A, D, E et K) dans le corps. Ils font partie des constituants qui forment les membranes cellulaires et ils remplissent un rôle important dans la synthèse de certaines substances, comme les hormones.

Lorsqu'ils sont consommés de façon raisonnable, les lipides vous permettent d'être en forme, puisqu'ils constituent une réserve d'énergie pour votre organisme. De plus, certains types de lipides, par exemple les Oméga-3, sont des acides gras essentiels qui vous protègent des maladies cardiovasculaires et favorisent le bon fonctionnement du système nerveux. On trouve les lipides dans des aliments très variés : les huiles, le beurre ou la margarine, la viande, le poisson, les œufs, les produits laitiers, les noix et les graines.

Sources d'Oméga-3

- Hareng
- Saumon de l'Atlantique
- Maquereau
- Graines de lin moulues
- Huile de lin
- Huile de noix
- Œufs Oméga-3
- Thon

Bon à savoir

Saviez-vous que le cholestérol alimentaire n'affecte que 10 % du cholestérol sanguin chez les personnes ne souffrant pas d'hypercholestérolémie? Ces dernières peuvent donc consommer des œufs sans crainte. Par contre, pour les personnes aux prises avec un problème de cholestérol ou dont un membre de la famille immédiate (mère, père) souffre de ce problème, la consommation d'œufs doit se limiter à trois par semaine.

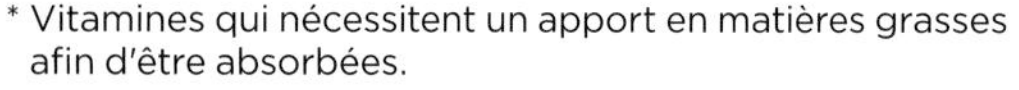

* Vitamines qui nécessitent un apport en matières grasses afin d'être absorbées.

LES PROTÉINES (OU PROTIDES)

Sans protéines, on ne vivrait pas très longtemps. Pourquoi ? Parce que ces dernières sont la seule source d'azote, un élément chimique indispensable à la vie. De plus, les protéines sont des nutriments essentiels à la formation du fœtus, à la bonne croissance des enfants, à la régénération des cellules de la peau, des ongles, des cheveux et à la réparation des tissus musculaires endommagés. Comme les protéines nous défendent contre plusieurs maladies, il est primordial d'en consommer tous les jours. Les viandes, la volaille, les poissons, les fruits de mer, les œufs ou encore le soya, les lentilles et les légumineuses, qui sont d'origine végétale, sont tous de bonnes sources de protéines. Lors d'un repas, les protéines que nous mangeons nous procurent un sentiment de satiété, ce qui nous permet de patienter jusqu'au prochain repas et de ne pas arriver à table affamé.

Un fabuleux truc pour limiter les calories : terminer un repas avec une salade au lieu d'un dessert.

COMPRENDRE VOTRE CORPS : LA QUALITÉ DE L'ALIMENTATION

Tout comme votre voiture a besoin du meilleur carburant pour bien fonctionner, votre corps a besoin des meilleurs aliments pour vous permettre de performer et, du même coup, de perdre un maximum de poids. Comme nous venons de l'expliquer, le corps utilise les calories contenues dans les nutriments et les transforme en énergie afin de vous permettre de vaquer à vos occupations quotidiennes. Toutefois, la provenance de ces calories ainsi que la façon dont elles sont apprêtées auront un impact majeur sur votre processus de perte de poids ou de remise en forme. Il serait malheureux de croire que 1300 calories provenant de croustilles auront autant d'impact sur votre perte de poids que 1300 calories provenant d'aliments sains. En effet, chacun des groupes alimentaires vous apportera ses bénéfices.

FRUITS ET LÉGUMES

En plus d'être peu caloriques, ils renferment des vitamines (indispensables à votre processus de perte de poids) et des fibres. Certains d'entre eux ont aussi des propriétés anticancer. Toutefois, en processus de perte de poids, nous vous recommandons de limiter votre consommation de fruits à deux portions par jour.

LAIT ET SUBSTITUTS

En plus d'être une bonne source de protéines, les laits et substituts contiennent généralement du calcium, qui aide à maintenir une bonne santé osseuse.

VIANDES ET SUBSTITUTS

Les viandes maigres contiennent beaucoup de protéines qui permettent, entre autres, de reconstruire vos tissus musculaires, mais également de vous rassasier et d'atteindre la satiété plus rapidement.

PRODUITS CÉRÉALIERS

Les produits de grains entiers ont une teneur élevée en fibres et sont plus longs à digérer que les produits à base de farine enrichie, ce qui contribue à stabiliser votre taux de sucre sanguin.

ADDITIFS ALIMENTAIRES

Le fait de cuisiner vous-même vos aliments vous permettra d'éviter la plupart des additifs alimentaires contenus dans les produits transformés. Au Canada, il y a des centaines d'additifs alimentaires autorisés. Ces substances sont utilisées pour conserver la fraîcheur ou la coloration des aliments, ou pour rehausser leur goût. Bon nombre d'entre elles sont inoffensives pour la santé, mais d'autres sont à éviter ou à consommer avec modération. Voici une liste de six additifs alimentaires dont vous devriez limiter la consommation le plus possible.

Nitrite ou nitrate de sodium

À quoi sert-il? À colorer et aromatiser les aliments.

Dans quels aliments le retrouve-t-on? Dans les saucisses à hot-dog, les charcuteries et le bacon.

Pourquoi est-il dangereux? C'est un additif potentiellement cancérigène.

Par quoi peut-on le remplacer? Rechercher des aliments dans lesquels on a remplacé les nitrites par de l'acide ascorbique ou de l'acide érythorbique (inoffensifs pour l'humain).

Aspartame

À quoi sert-il? Édulcorant, c'est un produit sucrant qui ne fournit pas de calories.

Dans quels aliments le retrouve-t-on ? Dans la plupart des boissons gazeuses sans calories, les sucres de table sans calories, etc.

Pourquoi est-il dangereux? L'aspartame est scruté à la loupe régulièrement par Santé Canada. On a d'ailleurs statué une dose maximale par jour, car certaines études sur des animaux ont démontré la croissance de tumeurs cancérigènes après l'ingestion de cet additif.

Par quoi peut-on le remplacer? Par le sucralose, qui se rapproche plus du sucre, ou le sucre brut en quantité moindre.

Huile végétale partiellement hydrogénée

À quoi sert-elle? À améliorer la texture et la durée de conservation de certains aliments.

Dans quels aliments la retrouve-t-on? Dans certains shortenings, produits de boulangerie, pâtisseries et certaines huiles à friture.

Pourquoi est-elle dangereuse? Elle contient des gras trans qui peuvent augmenter le risque de souffrir de maladies cardiovasculaires.

Par quoi peut-on la remplacer? Par des huiles non hydrogénées.

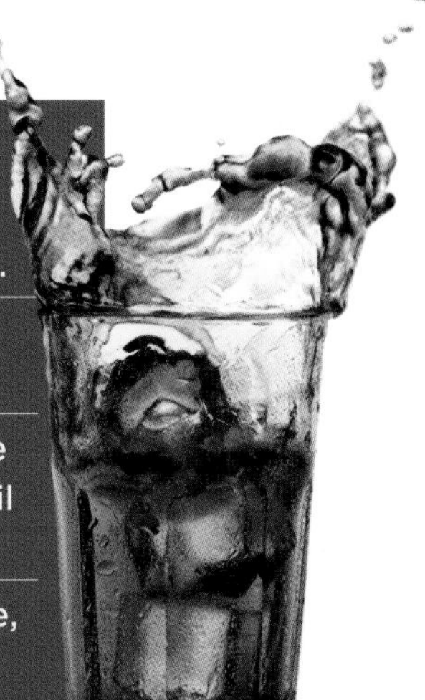

Acésulfame de potassium (Acésulfame K)

À quoi sert-il? Édulcorant, c'est un produit sucrant qui ne fournit pas de calories.

Dans quels aliments le retrouve-t-on? Dans les produits de boulangerie, la gomme à mâcher, les boissons gazeuses diète, etc.

Pourquoi est-il dangereux? Des études menées sur des animaux ont révélé que ce produit serait potentiellement cancérigène. D'autres sources affirment qu'il pourrait causer des migraines.

Par quoi peut-on le remplacer? Par le sucralose, qui se rapproche plus du sucre, ou le sucre brut en quantité moindre.

GMS ou MSG (Glutamate monosodique)

À quoi sert-il? À rehausser les saveurs.

Dans quels aliments le retrouve-t-on? Dans la cuisine asiatique, les sandwichs de restauration rapide et beaucoup de produits transformés.

Pourquoi est-il dangereux? Les études sont contradictoires. Toutefois, chez certaines personnes, le GMS pourrait déclencher des allergies et exciter les cellules nerveuses du cerveau, ce qui mènerait à un vieillissement prématuré.

Par quoi peut-on le remplacer? Par les fines herbes.

Certains colorants alimentaires

À quoi servent-ils? À colorer et unifier la couleur de certains aliments.

Dans quels aliments les retrouve-t-on? Dans les friandises, les pâtisseries, les céréales à déjeuner et plusieurs autres produits.

Pourquoi sont-ils dangereux? Tandis que certaines études ont fait état par le passé de tumeurs chez des rats qui en ont ingéré, on tente aujourd'hui de faire une corrélation entre ces colorants et l'augmentation de l'hyperactivité chez les enfants.

Par quoi peut-on les remplacer? Par des colorants d'origine naturelle.

EN CONCLUSION

Afin de mettre toutes les chances de votre côté, il est important de consommer des produits de base, que vous cuisinerez vous-même autant que possible. C'est votre corps et votre tour de taille qui vous en remercieront!

Ajoutez des aliments à votre style de vie au lieu d'en enlever. Cela limitera l'impression de privation.

CHAPITRE 3

LA RÉALITÉ SUR LES MYTHES EN ENTRAÎNEMENT ET EN ALIMENTATION

10 NOUVEAUX mythes et croyances populaires À PROPOS DE L'ENTRAÎNEMENT

1 LA FORME, C'EST GÉNÉTIQUE !

Faux : Bien que les gènes puissent jouer un rôle important dans les cas de performances sportives de haut niveau, il en va tout autrement pour ceux et celles qui désirent se remettre en forme. Si vous désirez seulement perdre quelques kilos et retrouver la forme, vos gènes ne vous seront pas vraiment utiles.

2 Faire plus d'activité physique ou manger moins ; c'est du pareil au même !

Faux : Il est important de dissocier la saine alimentation de l'entraînement. D'un point de vue mathématique, il est vrai que l'alimentation compte généralement pour 70 % du résultat de perte de poids contre 30 % pour l'activité physique. Toutefois, le fait de vous entraîner vous permettra de sécréter des endorphines*, de tonifier votre masse musculaire, de vous assurer d'une bonne densité osseuse et d'augmenter votre motivation ainsi que votre concentration mentale. Bref, bien que la saine alimentation et l'entraînement soient complètement différents, les deux vont de pair dans un processus de perte de poids ou de remise en forme.

* Endorphines : Substances efficaces contre la douleur.

3

IL NE FAUT PAS S'ENTRAÎNER À JEUN

Demi-vérité : Chaque année, le débat est relancé. La plus récente étude à ce sujet démontre clairement que, lorsqu'on désire perdre du poids, l'entraînement à jeun est plus efficace. En effet, le fait de s'entraîner le ventre vide forcera votre corps à aller puiser dans ses réserves de graisses. Toutefois, l'entraînement à jeun ne doit pas devenir une règle. Si vous désirez tenter le coup, assurez-vous que vous êtes en bonne santé, que l'effort demandé soit d'intensité faible à modérée et que votre entraînement ne dépasse pas de 30 à 45 minutes.

4

ON NE PEUT S'ENTRAÎNER LORSQU'ON SOUFFRE D'UN RHUME OU D'UNE GRIPPE

Faux : Bien entendu, avec un rhume ou une grippe, votre corps combat un virus et vous n'êtes pas à votre summum. Toutefois, le fait de vous entraîner (intensité légère) pourrait donner un regain à votre système immunitaire et, du même coup, vous permettre de mieux combattre le virus auquel vous faites face.

5

La sudation permet d'éliminer les toxines

Faux : La sueur est composée à 99 % d'eau. Le 1 % restant contient des minéraux (électrolytes). Les toxines sont présentes dans l'air que nous respirons, l'eau que nous buvons, les aliments que nous mangeons et, finalement, dans les produits chimiques. Les organes responsables de les éliminer sont le foie et les reins. Bref, la sudation vous permet de contrôler votre température corporelle et non de vous purifier!

6 Après une perte de poids importante, l'entraînement permet de raffermir le corps

Demi-vérité : Il n'est plus à démontrer que l'entraînement physique stimule vos muscles. Toutefois, en ce qui a trait à votre peau, il aura moins d'impact. Lorsque la perte de poids est légère, l'activité physique pourrait raffermir le corps dans bien des cas. Mais dans les cas de perte de poids importante, il se peut que la chirurgie esthétique soit la seule solution au problème.

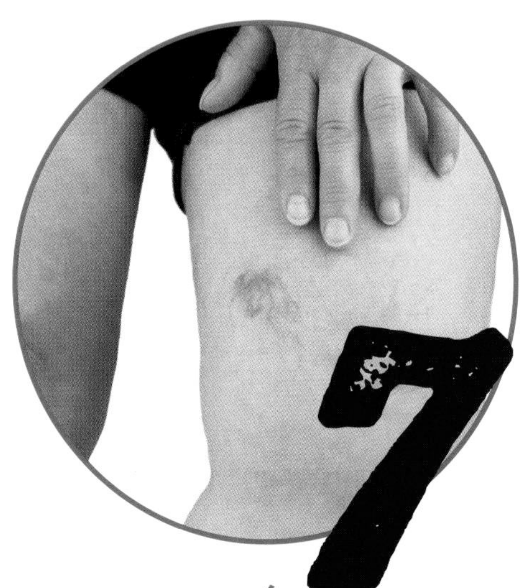

7 L'ACTIVITÉ PHYSIQUE FAVORISE L'APPARITION DES VARICES

Faux : C'est tout le contraire qui se produit ! Lorsque vous vous entraînez, vous stimulez votre système cardiovasculaire. La paroi de vos veines et de vos artères deviendra plus forte et limitera donc l'apparition des varices.

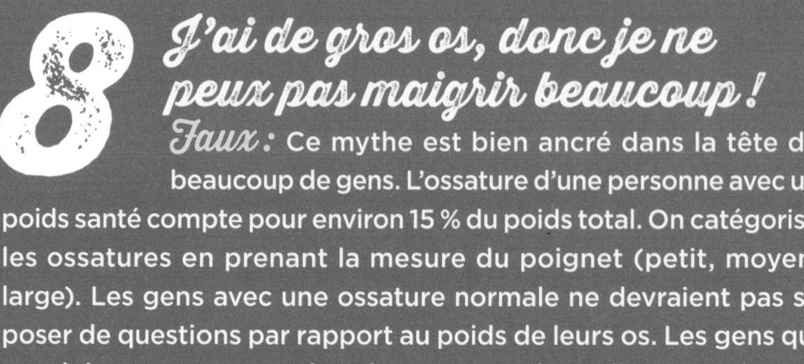

8 J'ai de gros os, donc je ne peux pas maigrir beaucoup !

Faux : Ce mythe est bien ancré dans la tête de beaucoup de gens. L'ossature d'une personne avec un poids santé compte pour environ 15 % du poids total. On catégorise les ossatures en prenant la mesure du poignet (petit, moyen, large). Les gens avec une ossature normale ne devraient pas se poser de questions par rapport au poids de leurs os. Les gens qui possèdent une ossature lourde auront quelques livres en plus sur le pèse-personne, mais cela ne peut expliquer une différence de 30 lb entre deux personnes du même sexe, de la même taille, du même âge, mais qui n'ont pas le même type d'ossature.

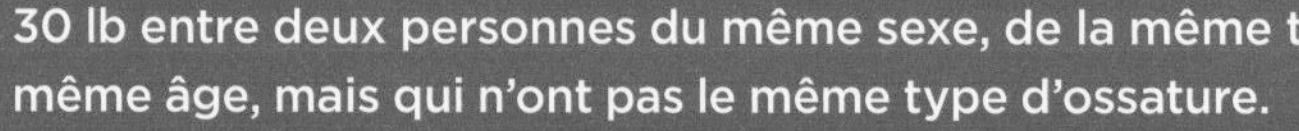

Bon à savoir

Chez les athlètes de haut niveau, il ne suffit que de deux à trois semaines d'arrêt complet d'entraînement pour perdre toute la progression obtenue en une année d'entraînement.

9 La forme acquise ne peut se perdre

Faux : Le corps est une belle machine ; il apprend vite et s'adapte à ce que vous lui faites subir (entraînement, changements alimentaires, etc.). Après seulement quelques semaines d'entraînement, il n'est pas rare de constater que cet entraînement devient plus facile et que le niveau d'énergie est beaucoup plus élevé tout au long de la journée. L'inverse est également vrai. Si vous arrêtez l'entraînement, votre corps risque fort de revenir au point où il en était lorsque vous avez commencé. Afin de conserver la forme acquise, il n'est pas toujours nécessaire de vous entraîner à plein régime. En effet, selon certaines études, le fait de diminuer votre intensité d'entraînement à 60 % vous permettra de conserver vos paramètres physiques.

Il est préférable de ne pas s'entraîner lorsqu'on est enceinte 10

Demi-vérité : Les femmes enceintes auraient tout intérêt à s'entraîner de façon légère à modérée, et ce, pratiquement tout au long de leur grossesse. Cela permettra de tonifier l'ensemble des muscles et de mieux gérer le stress occasionné par la grossesse. Toutefois, il n'est pas recommandé d'entreprendre un programme de remise en forme pour les femmes enceintes qui sont sédentaires. À noter que les activités à haut risque d'impact ou extrêmes (sports de combat, parachutisme, sprint, plongée sous-marine, etc.) sont à proscrire tout au long de la grossesse.

10 NOUVEAUX mythes et croyances populaires À PROPOS DE L'ALIMENTATION

1

Les piments forts aident à la perte de poids

Demi-vérité : Si la capsaïcine (substance contenue dans le piment qui donne le goût épicé) était la solution miracle, tout le monde mettrait du piment dans tous ses repas. Toutefois, il a été démontré que le fait d'ajouter du piment à vos recettes pouvait aider à brûler un peu plus de calories. Également, le fait de manger épicé incite généralement à ingurgiter moins de calories. Cela serait dû au fait que l'on prend plus de temps de pause entre les bouchées et que cela donnerait la chance au cerveau de déclencher les signaux de satiété.

2

BOIRE BEAUCOUP D'EAU AIDE À PERDRE DU POIDS

Vrai : Bien que l'effet de thermorégulation puisse permettre de brûler quelques calories de plus, l'eau est responsable de plusieurs liaisons chimiques dans le corps, y compris celles qui libèrent des acides gras. Également, le fait d'être bien hydraté vous aidera à conserver votre niveau d'énergie et donc, d'optimiser votre entraînement. Finalement, si vous buvez de l'eau avant un repas, il y a fort à parier que vous mangerez moins, car l'eau aura occupé un espace dans votre estomac.

3 Il est préférable de manger de petits repas pour favoriser la perte de poids

Faux : Bien qu'il soit recommandé de manger au moins trois repas par jour, le fait de manger jusqu'à sept petits repas par jour n'optimisera pas votre perte de poids. Toutefois, certaines personnes préfèrent consommer de petites portions tout au long de la journée. L'important, c'est de trouver la fréquence qui vous convient le mieux.

4 Sauter un repas aide à réduire son apport en calories

Faux : C'est plutôt le contraire qui risque de se produire : sauter un repas vous poussera à consommer davantage de calories lors des deux repas suivants. Lorsque vous sautez un repas, vous vous donnez souvent le droit de consommer beaucoup plus de calories lors du prochain.

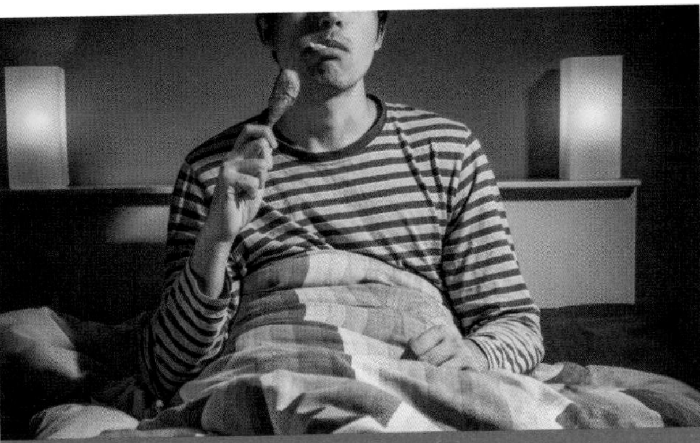

5 Manger tard le soir fait engraisser

Demi-vérité : Sur un plan purement mathématique, pour perdre du poids, il faut consommer moins de calories qu'on en brûle. Toutefois, le fait de manger un repas chargé après 21 h pourrait réellement nuire à votre processus de perte de poids. Votre corps se sert du temps que vous prenez pour le sommeil afin de récupérer et de se reposer. Lorsque vous mangez un repas riche en sucre, en sel et en gras quelques heures avant d'aller au lit, votre sommeil ne sera pas optimal, car votre corps ne récupérera pas; il va digérer. Le lendemain matin, il y a fort à parier que vous serez à la recherche d'aliments contenant beaucoup de calories afin de vous donner un regain rapide d'énergie.

Les aliments sans gras sont toujours un bon choix

Faux : Même si ces aliments contiennent parfois moins de calories que leur version originale, la différence est souvent minime et le goût du produit léger laisse souvent à désirer. Il n'est pas rare de réaliser que l'on a mangé deux à trois fois plus d'un aliment parce qu'il était léger. Résultat: plus de calories ont été ingurgitées. En conclusion, avant de consommer un produit allégé en calories, assurez-vous que son goût vous plaît vraiment et qu'il ne vous portera pas à en consommer plus.

LA CONSOMMATION EXCESSIVE D'ALCOOL FAIT ENGRAISSER

Vrai : L'alcool contient des calories (7 calories par gramme). Plus une boisson est alcoolisée, plus grand est son apport calorique. Par exemple, une bouteille de vin contient en moyenne de 600 à 750 calories. De plus, l'alcool stimule vos papilles gustatives et vous incite à consommer plus d'aliments. Également, l'alcool inhibe la volonté ; il n'est pas rare d'abandonner ses bonnes résolutions après quelques verres. En conclusion, buvez avec modération !

Le fait de fumer brûle des calories et permet de maintenir sa silhouette

Vrai (malheureusement) : Le fait de fumer augmente le rythme cardiaque et coupe l'appétit. De façon générale, les fumeurs voient leur métabolisme de base augmenter de 10 %. Lorsqu'ils cessent de consommer les produits du tabac, le métabolisme de base revient à la normale. Les recherches démontrent que les ex-fumeurs prennent en moyenne de 4 à 5 kg. Mais cela n'est rien en comparaison des bénéfices que vous tirerez à arrêter le tabagisme.

9 Le lait au chocolat est excellent pour récupérer après un entraînement

Vrai : Toutefois, il est important de dissocier perte de poids de performance ou maintien. Le lait au chocolat contient des protéines qui aident à la reconstruction musculaire, mais il contient aussi du sucre et du gras. Il sera difficile de perdre du poids en buvant 500 ml de lait au chocolat après un entraînement de 30 minutes. Par contre, chez la personne qui ne vise pas la perte de poids, ce breuvage s'avère idéal afin de refaire rapidement les réserves d'énergie et, du même coup, réparer les tissus musculaires endommagés lors de l'entraînement.

Bon à savoir

LE CITRON AMÉLIORE LA SANTÉ

Comme il est vrai que la plupart des fruits et légumes offrent des bénéfices. Le citron contient beaucoup de vitamine C et rehausse à merveille le goût de l'eau. Pour ce qui est de ses supposées vertus curatives favorisant la perte de poids, on repassera !

10 IL EST IMPÉRATIF DE CONSOMMER DES PROTÉINES APRÈS UN ENTRAÎNEMENT

Faux : Si votre entraînement consiste à marcher pendant 30 minutes, à jardiner, à suivre un léger cours d'aérobie, vous n'aurez normalement pas besoin de manger à la fin. Le but des protéines est de réparer les tissus musculaires endommagés. Donc, si vous n'avez pas endommagé vos tissus lors de votre entraînement (ce qui est le cas la plupart du temps), vous n'aurez pas besoin de consommer une source de protéines après l'effort. À l'opposé, si vous effectuez un travail intense ou prolongé (plus d'une heure), il se peut que vous ayez besoin de manger une collation après votre entraînement.

Si vous avez de la difficulté avec les portions, ayez toujours des tasses à mesurer ainsi qu'une pesée pour vos aliments. Cela vous permettra d'avoir l'heure juste quant à la quantité de nourriture mangée.

CHAPITRE 4

CHRONIQUE ALIMENTAIRE

10 collations À CONSOMMER APRÈS VOTRE ENTRAÎNEMENT

Qu'on se le dise: il est important de prendre une collation après un bon entraînement. Toutefois, il faut différencier un entraînement léger d'un entraînement modéré à intense. Le but d'une collation «post-entraînement» est de vous permettre de récupérer en apportant des nutriments à votre corps. Si votre objectif est de perdre du poids et que vous consommez 400 calories en collation alors que vous en avez dépensé 300 en faisant une marche d'une heure, il y a fort à parier que les résultats ne seront pas au rendez-vous. Il est important de comprendre qu'il n'est pas nécessaire de manger après un entraînement. Si votre but est de perdre du poids, posez-vous la question à savoir si vous avez réellement faim ou si vous voulez manger par habitude.

Processus de perte de poids

100 g de yogourt grec 0 % m.g.
(100 Kcal)

12 amandes
(83 Kcal)

1 tasse de lait écrémé
(90 Kcal)

1 petite pomme (150 g max)
+ 1 yogourt 0 % m.g.
(115 Kcal)

2 c. à t. de beurre d'arachides
+ 1/2 pomme (75 g)
(100 Kcal)

Phase de maintien

1 c. à s. de beurre d'arachides + 1 galette de riz
(150 Kcal)

2 c. à s. de hoummos sur 1 pita de blé entier
(200 Kcal)

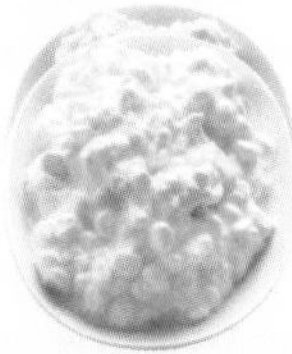

1 tasse de fromage cottage 1 % m.g.
+ 1 pomme moyenne
(200 Kcal)

1 tasse de fruits des champs
avec 100 g de yogourt grec 0 % m.g.
(200 Kcal)

1 tasse de lait au chocolat 2 % m.g.
(180 Kcal)

5 épices QUI VOUS PERMETTRONT D'AJOUTER DU GOÛT À VOS RECETTES ET... D'OPTIMISER VOTRE PERTE DE POIDS

1 Piment de Cayenne

La capsaïcine contenue dans les piments aurait la capacité d'augmenter le métabolisme, de réduire la formation de tissus adipeux et de diminuer le nombre de calories que l'on consomme chaque jour. Cela est dû au fait que l'on doit faire une pause après chaque bouchée lorsque la nourriture est épicée.

2 Gingembre

Le gingembre (frais ou moulu) aide à la digestion; ce qui est nécessaire dans un processus de perte de poids. Chez certaines personnes, il a également la propriété de couper l'appétit. Bien que des études plus poussées doivent être entreprises à ce sujet, cette racine aurait également le pouvoir d'augmenter votre métabolisme.

3 Poivre noir

Épice traditionnelle en Amérique du Nord, le poivre noir contient de la piperine, qui aurait la capacité d'augmenter le métabolisme de base.

4 Cannelle

Épice classique qui accompagne souvent les pommes, la cannelle est de plus en plus étudiée. Elle aurait la propriété de contrôler le taux de sucre dans le sang (glucose sanguin) et, du même coup, le taux d'insuline, avec comme résultat de diminuer les rages de sucre.

5 Curcuma

Épice de base dans la cuisine indienne, le curcuma est de plus en plus en vogue en Amérique du Nord. Étudié pour ses propriétés anticancer, le curcuma aurait la capacité de diminuer l'inflammation et de réduire la formation de tissus adipeux.

Les meilleurs choix DANS LES CHAÎNES DE RESTAURATION RAPIDE

Dans le meilleur des mondes, chaque repas que vous mangez devrait avoir été préparé dans votre cuisine. Toutefois, la réalité est différente. En effet, les 24 heures disponibles dans une journée sont souvent bien remplies, le temps pour cuisiner se fait de plus en plus rare et la tentation de vous procurer des repas de restauration rapide grandit. Si, comme bien des gens, vous aimez fréquenter les chaînes de restauration rapide, sachez qu'il est possible de faire des choix sensés dans la plupart d'entre elles. Voici les meilleurs choix de repas dans vos chaînes préférées.

MCDONALD'S

1. Wrap-éclair au poulet grillé, sans sauce chipotle: **230 calories**
2. Salade-repas toscane avec poulet, sans vinaigrette: **330 calories**

BURGER KING

1. Bouchées de poulet (6): 290 calories
2. Hamburger nature: 260 calories

Le truc de Jimmy sur le pouce !

Pas envie de restauration rapide ? Arrêtez-vous dans une épicerie et achetez un morceau de saumon fumé, des crudités et un fruit. Cela vous permettra de faire le plein d'énergie tout en optimisant votre santé et… en limitant les calories.

BÂTON ROUGE

1. Thon ahi avec salade en accompagnement: 800 calories
2. Haut de surlonge (7 oz) avec salade en accompagnement: 570 calories

SUSHI SHOP

1. Soupe Shoyu: **400 calories**
2. Maki de printemps au homard avec riz brun: **430 calories**
3. Sushis Pizza Casablanca avec riz brun (6): **550 calories**

Le truc de Chantal :

N'hésitez pas à demander le tableau des valeurs nutritives dans les chaînes de restauration rapide. Cela vous permettra de faire les meilleurs choix possibles pour votre santé et... votre tour de taille.

SCORES

1. Poitrine de poulet grillée avec légumes vapeur : 480 calories
2. Bar à salade. Tous les légumes non préparés ou macérés sont permis, avec 1 c. à s. de vinaigrette ou 1 tasse de fromage cottage.

BOSTON PIZZA

1. Filet de saumon citronné cuit au four avec légumes vapeur et salade du jardin : 340 calories
2. Salade de poulet grillé : 286 calories
3. Bifteck New York et légumes : 410 calories

Truc !

Lorsque vous commandez une salade, demandez la vinaigrette dans un contenant à part.

TIM HORTONS

1. Wrap poulet ranch : 190 calories
2. Wrap poulet barbecue : 190 calories
3. Sandwich BLT : 360 calories

Envie d'une entrée ?

Privilégiez les soupes à base de bouillon plutôt que les potages à la crème. Vous limiterez ainsi considérablement votre consommation de calories.

ST-HUBERT

1. Salade gourmande épinards et chèvre avec poulet grillé: 530 calories (sans poulet: 370 calories)
2. Soupe-repas aux légumes et poulet grillé: 310 calories

© ST-HUBERT

SUBWAY

1. Sandwich de 6 pouces au poulet grillé avec pain 9 grains, laitue, tomates, oignons, poivrons verts et concombres: 310 calories
2. Sandwich de 6 pouces au rosbif avec pain 9 grains, laitue, tomates, oignons, poivrons verts et concombres: 290 calories
3. Sandwich de 6 pouces BLT avec pain 9 grains, laitue, tomates, oignons, poivrons verts et concombres: 300 calories

HARVEY'S

1. Sandwich au poulet grillé: 280 calories
2. Végéburger: 340 calories

Truc !

Afin de limiter la consommation de gras saturés et de calories, évitez de manger la peau du poulet.

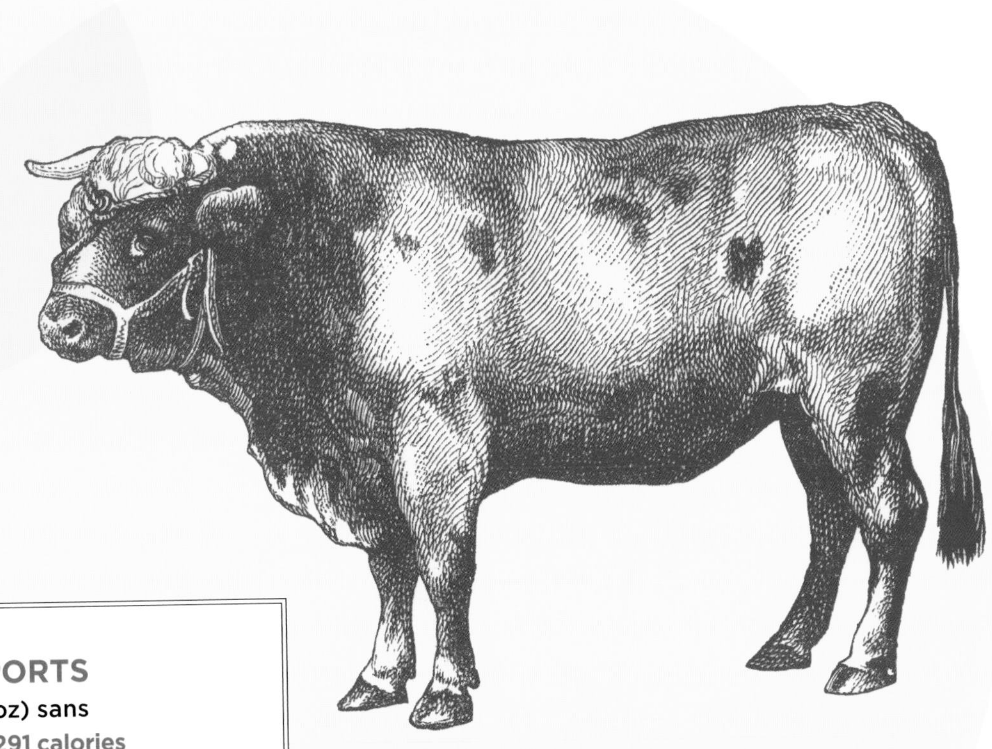

LA CAGE AUX SPORTS

1. Bifteck Baseball (6 oz) sans accompagnement: 291 calories
2. Salade orientale aux crevettes, sans vinaigrette: 431 calories

CASEY'S

1. Médaillon de bison avec riz basmati trois grains: **980 calories**
2. Mini-sandwich au filet mignon grillé avec salade de chou: **230 calories**

MIKES

1. Linguine Alfredo (portion modérée): 330 calories
2. Sous-marin «Co-Vedette» 5 pouces: 320 calories

Lorsqu'il est question de dessert, votre fidèle alliée demeure la coupe de fruits frais. En plus de contenir peu de calories, les fruits assouviront votre envie de sucre.

Il est important
de se permettre de
1 à 3 gâteries par
semaine; cela vous
aide à tenir le coup !

CHAPITRE 5

LA MOTIVATION

LES MEILLEURES EXCUSES

Que ce soit lors d'une séance de coaching, d'un camp SOS Santé/Beauté, d'un bootcamp ou d'une conférence, j'ai rencontré des centaines de personnes qui désiraient me parler de leur échec par rapport à une tentative de perte de poids. Bon nombre d'entre elles savaient clairement ce qui ne fonctionnait pas et m'expliquaient qu'elles manquaient simplement de motivation. Certaines personnes peuvent se servir de leurs croyances bien ancrées pour justifier l'échec de leur perte de poids. Oui, je suis un entraîneur-motivateur, mais j'aime également donner l'heure juste à mes clients en consultation et c'est ce que je vais faire dans ce texte. Voici des phrases que j'entends ou que je lis chaque jour et qui méritent réflexion.

1 *Je mange bien...*

La notion de bien ou mal manger est très vague. L'alimentation sera parfaite pour une personne tandis que pour une autre, elle sera à retravailler. Neuf personnes sur 10 qui entrent dans mon bureau me disent qu'elles mangent bien. Pourtant, chacune d'entre elles repart avec des choses à améliorer.

2 *Je mange beaucoup plus santé qu'avant.*

C'est vrai, manger santé améliorera certains paramètres de votre santé. Toutefois, la perte de poids n'est pas garantie. Troquer le beurre pour l'huile d'olive vous permettra d'abaisser votre taux de LDL (mauvais cholestérol), toutefois, les deux corps gras contiennent approximativement la même quantité de calories.

3 *Je bouge beaucoup plus qu'avant. Je fais plusieurs heures d'activité physique par semaine.*

Encore une fois, je tiens à vous féliciter de bouger. Mais si vous faites une marche de 30 minutes et qu'après votre entraînement vous mangez un yogourt nappé de petits fruits avec une poignée d'amandes, vous prendrez du poids ! Lors de mon dernier Ironman, qui a duré plus de 12 h d'efforts intenses, je n'ai pas perdu 1 oz, car j'ai mangé tout au long de la course.

4 *Je ne comprends pas pourquoi je ne perds pas de poids, je ne me permets qu'une journée de tricheries par semaine.*

Il est effectivement correct de faire quelques excès de temps en temps. Toutefois, si dans ce repas d'excès, vous mangez en entrée une trempette aux épinards et artichauts, ensuite des côtes levées avec frites et un morceau de gâteau au fromage avec coulis en dessert, c'est tout près de 6000 calories qui entreront dans votre système, soit environ 2 lb. Cela est assez pour contrecarrer tous vos efforts d'une semaine en un seul repas... Dans les crèmeries, certains desserts contiennent 1000 calories, parfois plus ; ce qui représente l'équivalent de quatre heures de marche pour certaines personnes.

5 *Je compte mes calories et je me sous-alimente.*

Avez-vous réellement pris le temps de calculer tout ce qui entrait dans votre bouche et de vérifier la qualité de ces aliments ? Si vous notez ce que vous mangez en respectant la qualité des aliments et en vous limitant à environ 1300 à 1400 calories par jour (1500 chez les hommes), la perte de poids devrait être au rendez-vous.

6 *Je ne sais pas quoi manger...*

Une de mes phrases préférées ! On publie en moyenne 10 livres sur la perte de poids par mois en français, on crée des émissions de télé sur la cuisine santé et il y a une foule d'outils gratuits qui disent mot à mot quels aliments privilégier. À ce titre, dans le livre que vous lisez, tout est indiqué de A à Z. Toute l'information est disponible ; il suffit de se renseigner auprès de spécialistes ou de consulter des ouvrages de qualité.

7 *Les informations sur la perte de poids changent tout le temps !*

Honnêtement, cela est une bonne chose. Dois-je vous rappeler qu'on avait le droit de fumer dans les hôpitaux il y a 40 ans ? La santé et la perte de poids sont des sujets d'actualité scrutés à la loupe par les chercheurs. Il est donc normal que certaines informations évoluent avec le temps.

8 *Je suis découragé, je suis à bout, je veux tout lâcher...*

Nous avons tous des périodes de découragement, moi y compris. La vie est une succession de hauts et de bas. Votre vraie force réside dans votre capacité à vous relever plutôt que de rester allongé à plat ventre à cause de votre échec en matière de perte de poids...

Souriez, la vie est belle ! Vous n'arrivez pas à perdre du poids ? Avez-vous tout fait dans les règles de l'art ? Cherchez pourquoi cela n'a pas fonctionné ; trouvez des solutions ! Si vous voulez vraiment perdre du poids, que vous le faites pour les bonnes raisons et que c'est ce que vous voulez par-dessus tout, VOUS ÉLIMINEREZ DES KILOS !

Croyez-moi, je suis passé par là et je sais à quel point cela peut être difficile de modifier ses habitudes de vie. Mais je vous garantis que c'est possible. Bonne réflexion !

LA JOURNÉE DE REPOS

Lise est une femme dans le début de la quarantaine. Elle n'a jamais vraiment été attirée par l'activité physique; pour elle, cela était une perte de temps. Toutefois, depuis quelques années, les kilos s'additionnent sur le pèse-personne et cela commence à avoir un impact sur son moral. Les répercussions sur son estime de soi sont directes.

Nathalie, une de ses amies, a réussi à la convaincre de s'inscrire au centre de conditionnement physique afin de commencer un programme de musculation et de suivre quelques cours de groupe. Dès le premier entraînement, Lise est tombée amoureuse de l'activité physique et de ses bienfaits. De plus, elle se disait que cela allait certainement l'aider à perdre les kilos superflus. Elle a donc décidé d'augmenter l'intensité et la fréquence de ses entraînements en y allant chaque jour. Les deux premières semaines, la motivation et la perte de poids étaient au rendez-vous; elle se sentait bien et elle perdait du poids. Toutefois, la troisième semaine, elle a commencé à se sentir fatiguée. C'est alors que son entraîneur lui a fait comprendre qu'elle devait prendre une journée de repos pendant la semaine afin de permettre à son corps de récupérer. Le matin de sa première journée de congé, elle s'est donc levée un peu plus tard. Pour déjeuner, elle a troqué les rôties pour deux muffins avec des œufs, de la confiture et du beurre d'arachides. Entre les deux repas, elle a succombé aux pâtisseries qu'un collègue de bureau avait apportées. Pour dîner, elle s'était préparé un sandwich mais elle a commandé un plat de pâtes à la sauce rosée avec pain à l'ail et fromage gratiné afin de « refaire ses réserves ». En après-midi, elle avait envie de salé, elle a donc craqué pour un morceau de fromage. Le soir, afin de clôturer le tout, elle a décidé d'aller souper au restaurant avec son conjoint. Après avoir jeté un coup d'œil au menu, elle a opté pour l'entrée de bâtons de mozzarella, suivie d'un double cheeseburger et, comme dessert, d'un sundae au caramel. Le lendemain, avant de reprendre l'entraînement, elle a décidé comme à l'habitude de se peser. Malheur! En une semaine, elle n'avait pas perdu de poids. Lentement mais sûrement, sa motivation face à l'entraînement a diminué, car les résultats n'étaient plus là. Puis, après une dizaine de semaines, Lise a tout arrêté.

Est-ce que l'histoire de Lise vous rappelle quelqu'un? Il est impératif de laisser du temps à votre corps afin qu'il puisse se reposer. La journée de repos est là pour donner une pause à vos muscles et à votre corps afin qu'ils puissent récupérer de l'entraînement et, du même coup, s'adapter. Cette journée n'est pas faite pour ingurgiter tout ce qui vous tombe sous la main. Si vous le faites, sachez que vous optimiserez quand même votre état de santé. Toutefois, si votre but est de perdre du poids, la déception risque d'être au rendez-vous.

Bonne réflexion!

Mettre toutes les chances de votre côté

Patrick a 34 ans, il est marié et père de deux enfants en pleine santé. Il est entouré d'un grand réseau d'amis et a un bon emploi stable; la vie rêvée! Toutefois, Patrick n'aime pas son corps.

Depuis qu'il a terminé ses études, ses habitudes de vie ont vraiment changé. En effet, ses entraînements de musculation et ses trois pratiques de hockey par semaine sont désormais chose du passé et pour ce qui est de l'alimentation, cela n'est guère mieux. Depuis qu'il travaille et qu'il gagne bien sa vie, Patrick ne se gêne pas pour sortir au restaurant avec sa conjointe ou des couples d'amis. Lors de ces soupers, les calories coulent à flots. Avec le temps, tout cela a eu un impact sur sa santé. Prise de poids, sensation de fatigue généralisée et baisse de motivation font désormais partie de lui.

Un matin, il s'est levé et a décidé de donner un solide coup de barre à ses habitudes de vie. Il a parlé de sa démarche avec sa conjointe qui, de son côté, ne semblait pas très emballée à l'idée de bouger un peu plus et de diminuer les desserts ainsi que les soupers au restaurant. Il s'est alors tourné vers ses amis en se disant qu'il pourrait s'entraîner avec eux mais encore là, ç'a été un échec. La plupart des gens dans son cercle d'amis sont sédentaires et perçoivent l'activité physique comme une véritable perte de temps. Lorsque Patrick leur a parlé de sa démarche, ils se sont un peu moqués de lui en lui disant qu'il allait probablement revenir à ses anciennes habitudes après quelque temps. Lorsqu'il fait les courses, il continue d'acheter des aliments gras et sucrés, car c'est ce que sa famille aime. Il se dit qu'il pourra y résister et s'achète quelques fruits et légumes. Devant tant d'obstacles à surmonter avec pratiquement aucune approbation de ses proches, Patrick a abandonné son projet de saines habitudes de vie pratiquement avant d'avoir commencé.

L'histoire de Patrick ressemble à celle de bien d'autres personnes qui tentent par tous les moyens de perdre du poids sans toutefois y arriver. Dans un processus de remise en forme, il est impératif de mettre toutes les chances de votre côté. Lorsque je pesais 452 lb, c'est la première chose que j'ai faite et cela a fonctionné. Voici cinq trucs qui vous permettront d'y arriver.

1 Expliquez votre démarche

Si vous voulez changer, ne gardez pas cela en dedans de vous; parlez-en! Si vous en discutez avec la personne qui partage votre vie en lui expliquant que cela va vous permettre d'améliorer votre santé, dans la grande majorité des cas, elle va vous soutenir et, qui sait, peut-être même embarquer avec vous.

2 Entourez-vous des bonnes personnes

Il est question ici d'amis et de connaissances qui partagent votre opinion sur les saines habitudes de vie et qui vous encouragent à avancer. Si la totalité de vos amis sont sédentaires et que leur seule activité physique se limite à regarder les matches de hockey à la télévision, il y a fort à parier que vous emboiterez le pas et que vous serez sédentaire à votre tour. De plus, tentez par tous les moyens de fuir les éternels négatifs qui trouvent toujours une phrase ou un mot pour vous blesser et miner votre estime de soi.

3 Éliminez les aliments qui vous rendent vulnérable

Si vous savez que certains aliments vous rendent vulnérable et vous donnent de la difficulté à vous contrôler, essayez de les sortir de votre maison pour quelque temps. Nous avons tous cette pensée magique en tête qui dit que nous pouvons résister à ces aliments, qu'ils sont pour la visite, que nous allons en consommer avec modération, etc. Toutefois, la réalité est souvent bien différente et il n'est pas rare de voir une personne engloutir un grand sac de croustilles ou un contenant de crème glacée dans le temps de le dire.

4 Ayez des mentors... des idoles... des environnements favorables

Nous avons tous et toutes des personnes dans notre entourage ou dans la vie en général qui nous inspirent. Ces personnes sont des exemples à suivre ; la preuve que tout est possible avec de la détermination. N'ayez pas peur de parler avec ces gens ; de leur demander des conseils dans votre processus de remise en forme. De plus, si vous savez que tel ou tel endroit vous pousse à atteindre vos objectifs, tentez d'y aller le plus souvent possible. De mon côté, c'est lorsque je fais des triathlons, des courses ou lorsque je donne des conférences que cela gonfle ma motivation à bloc.

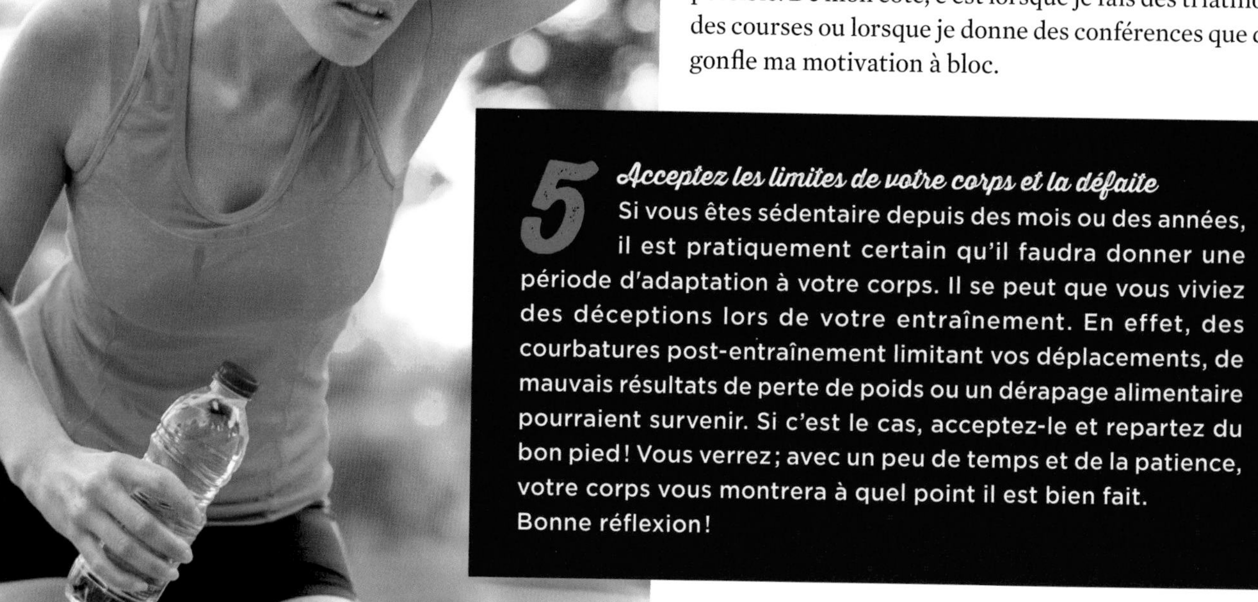

5 Acceptez les limites de votre corps et la défaite

Si vous êtes sédentaire depuis des mois ou des années, il est pratiquement certain qu'il faudra donner une période d'adaptation à votre corps. Il se peut que vous viviez des déceptions lors de votre entraînement. En effet, des courbatures post-entraînement limitant vos déplacements, de mauvais résultats de perte de poids ou un dérapage alimentaire pourraient survenir. Si c'est le cas, acceptez-le et repartez du bon pied ! Vous verrez ; avec un peu de temps et de la patience, votre corps vous montrera à quel point il est bien fait.
Bonne réflexion !

CHOISIR SON CENTRE DE CONDITIONNEMENT PHYSIQUE

Avez-vous déjà fréquenté un centre de conditionnement physique? Si tel est le cas, vous avez peut-être fait comme bien des gens inscrits: vous avez abandonné après quelques semaines ou quelques mois. Plusieurs raisons peuvent vous pousser à déserter le gym. Pour éviter cela, il est très important de bien sélectionner votre centre de conditionnement physique avant d'apposer votre signature au bas d'un contrat. Prendre le temps de magasiner le bon endroit, c'est souvent ce qui fera la différence entre la constance et l'abandon. Avant de signer quoi que ce soit, lisez ces quelques recommandations. Qui sait? Peut-être que ce qui suit vous permettra de trouver la perle rare des centres de conditionnement physique.

POURQUOI NE PAS ESSAYER?

La plupart des centres vous proposent un essai gratuit avant de vous inscrire. C'est un outil génial qui vous permet d'économiser temps et argent. En faisant un essai, vous serez en mesure de voir l'atmosphère qui règne au gym. Prenez le temps de juger si le type de clientèle qui le fréquente vous ressemble.

EST-CE PRÈS DE CHEZ VOUS?

Si votre gym est à plus de 20 minutes d'automobile de votre maison, vous risquez fort de le quitter après quelque temps, car la distance deviendra un facteur de plus en plus contraignant. Faites d'abord le trajet en voiture afin d'évaluer si la distance vous convient.

LE RÉSEAU

Pour ceux et celles qui sont souvent sur la route, certains centres avec franchises donneront la possibilité de vous entraîner un peu partout dans la province. Des chaînes comme Énergie Cardio offrent un très grand réseau.

VISITEZ... PARTOUT!

Afin d'évaluer la propreté du centre, je vous conseille de visiter les salles de bain avant de vous inscrire. Étant dans ce milieu depuis plus de 10 ans, je peux vous affirmer que la propreté des lieux reflète la vision et le sérieux d'une entreprise. Des salles de bain et des vestiaires mal entretenus sont des facteurs qui doivent influencer votre décision.

RENSEIGNEZ-VOUS

Renseignez-vous sur les compétences des entraîneurs qui travaillent dans le centre. Ont-ils un diplôme reconnu? Demandez si un ou des entraîneurs possèdent un diplôme en activité physique ou en kinésiologie. Si ces personnes sont appelées à vous encadrer, il est plus qu'important qu'elles aient les compétences nécessaires.

LA DISPONIBILITÉ ET LA QUALITÉ DE L'ÉQUIPEMENT

Prenez le temps de vérifier la quantité et, surtout, la qualité de l'équipement. Si vous préférez faire de l'entraînement de type cardiovasculaire et que le centre ne dispose que d'un ou deux vélos d'exercice et d'un seul tapis roulant, vous devrez probablement patienter plus souvent qu'à votre tour avant d'utiliser l'appareil.

L'HORAIRE ET LA DISPONIBILITÉ DES COURS DE GROUPE

La plupart des centres offrent des cours de groupe. Si vous avez besoin de l'effet de masse pour vous motiver, ces cours sont pour vous! Certains centres offrent jusqu'à 50 cours par semaine tandis que d'autres se limitent à quelques-uns. De plus, assurez-vous que les heures concordent avec votre horaire. Lors de nos émissions télévisées *Le Parcours* et *Maigrir pour gagner*, nos participants ont essayé certains des nombreux cours offerts dans le réseau Énergie Cardio et ont vraiment apprécié leur expérience. Pour ma part, j'ai été impressionné par la diversité, la quantité et la qualité des cours qu'offre ce réseau.

QUELLES SONT LES HEURES D'OUVERTURE?

Certains centres ont un horaire restreint, alors que d'autres ont plus de latitude sur les plages horaires. J'ai déjà quitté un centre en raison de son horaire trop limité! Si vous désirez vous entraîner le matin avant le boulot et que le centre ouvre ses portes à 8 h, il y a fort à parier que vous n'irez tout simplement pas.

Conseil du coach

Si, après quelques semaines ou quelques mois, vous avez envie d'abandonner, rappelez-vous pourquoi vous avez commencé !

L'ENTRAÎNEUR PERSONNEL: CELUI QUI GÉNÈRE DES RÉSULTATS !

Vous aimeriez entreprendre un programme d'activité physique mais vous manquez de motivation? Vous ne comprenez pas pourquoi vous avez de la difficulté à atteindre vos résultats en entraînement? La solution: engager un entraîneur personnel! Bien plus qu'un simple coach, il saura vous écouter, s'adapter à vos besoins, et vous permettra d'atteindre vos résultats rapidement! Lors de nos émissions télévisées *Le Parcours* et *Maigrir pour gagner*, nos participants ont eu accès aux services d'un entraîneur personnel d'Énergie Cardio tout au long de leur aventure et je peux vous assurer que cela a fait toute la différence. Pas convaincu? Les quelques lignes qui suivent vous feront probablement changer d'avis. Voici sept raisons pour lesquelles vous devriez embaucher un entraîneur personnel:

1 *Vous ne savez pas par où commencer*

Je serais porté à comparer l'entraînement au tricot; si vous n'en avez jamais fait, les résultats seront probablement lamentables et vous risquez de tirer une mauvaise expérience de tout cela. L'entraîneur personnel est un professionnel du mouvement. Il est formé et compétent dans son domaine. Il vous expliquera comment votre corps fonctionne et saura vous prendre tel que vous êtes et ce, peu importe que vous soyez débutant, intermédiaire ou avancé.

2 *Vous avez besoin de motivation et d'encadrement*

Si vous êtes comme bien des gens, que vous avez de la difficulté à mettre de l'intensité lors de votre entraînement et que vous vous contentez du strict minimum, l'entraîneur personnel s'assurera que vous donnez tout ce que vous pouvez lors de la séance. Après tout, vous payez pour cela !

3 *Vous avez un rendez-vous*

Certaines personnes tiennent un agenda. En mettant un rendez-vous avec votre entraîneur à l'horaire, vous en ferez un engagement important envers vous-même et... votre santé.

4 Vous avez besoin de variété

Si votre entraînement se résume à 30 minutes de tapis roulant en continu et que vous avez la même routine de musculation depuis des années, l'entraîneur personnel vous fera sortir de cette zone de confort en vous proposant de nouveaux exercices. Il vous montrera comment il peut être agréable de varier les exercices et, du même coup, optimiser vos résultats.

5 Vous désirez apprendre à vous entraîner par vous-même

Si vous le désirez, votre entraîneur personnel vous montrera des exercices à faire à la maison lorsque vous n'êtes pas en sa compagnie. Cela vous permettra de conserver votre tonus et d'améliorer votre état de santé entre chaque séance.

6 Vous avez besoin d'exercices spécifiques en raison de votre condition physique

Vous êtes blessé ou certaines contre-indications nécessitent un suivi rigoureux et un programme d'entraînement adapté ? Votre entraîneur personnel saura vous créer un programme d'entraînement personnalisé convenant à votre réalité.*

7 Vous devez obtenir des résultats rapidement en vue d'un événement

Vous désirez être au meilleur de votre forme pour certains événements ? Pour un mariage ou pour un voyage, il faut parfois mettre toutes les chances de votre côté afin d'obtenir des résultats le plus rapidement possible. C'est là que l'entraîneur personnel entre en ligne de compte. Il saura vous conseiller et vous entraîner afin que vous obteniez rapidement les résultats escomptés (dans la limite du possible bien entendu).

Bref, engager un entraîneur personnel, c'est engager un multiplicateur de résultats pour votre santé. Il deviendra votre guide, votre motivateur et il pourrait bien changer la perception que vous avez de l'entraînement. Je vous garantis que l'investissement en vaut le coup et que vous ne le regretterez pas.

Commencez votre processus dès maintenant. Sinon, dans trois mois, vous souhaiterez avoir commencé aujourd'hui !

* Le champ d'expertise de l'entraîneur personnel comporte des limites. Dans des cas lourds ou spéciaux, il se peut que l'assistance d'un médecin et/ou d'un physiothérapeute soit requise afin d'adapter votre entraînement.

CHAPITRE 6

DES MENUS SIMPLES ET EFFICACES POUR MAIGRIR

Essayez de remplir votre
frigo seulement avec des
aliments frais et sains.
De cette façon, il sera plus
facile d'éviter les pertes
de contrôle alimentaire.

LES DÉJEUNERS

Créez votre omelette santé!

Les œufs

(DE 138 À 174 KCAL MAXIMUM)

- 2 œufs entiers (140 Kcal)
- 2 œufs + 1 blanc d'œuf (147 Kcal)
- 2 œufs + 2 blancs d'œufs (174 Kcal)
- 1 œuf + 4 blancs d'œufs (138 Kcal)

Les viandes et substituts

(1 CHOIX, PORTION DE 3 OZ (90 G): DE 72 À 162 KCAL MAXIMUM)

- Jambon (111 Kcal)
- Poulet (112 Kcal)
- Tofu (96 Kcal)
- Dinde (103 Kcal)
- Haricots rouges (117 Kcal)
- Saumon (154 Kcal)
- Thon (111 Kcal)
- Bœuf haché extra-maigre (162 Kcal)
- Crevettes (72 Kcal)
- Goberge (90 Kcal)

(2 CHOIX, PORTION DE 1/2 TASSE (125 ML): DE 8 À 46 KCAL MAXIMUM)

- Épinard (8 Kcal)
- Poivron rouge, jaune, vert (15 Kcal)
- Brocoli (46 Kcal)
- Tomate (10 Kcal)
- Oignon (41 Kcal)
- Champignon (21 Kcal)
- Asperge (22 Kcal)
- Courgette (8 Kcal)
- Concombre (7 Kcal)
- Poireau (30 Kcal)
- Chou-fleur (15 Kcal)
- Aubergine (18 Kcal)
- Carotte (40 Kcal)

Ajouts pour la phase de maintien

(1 CHOIX: DE 50 À 110 KCAL MAXIMUM)

- ¼ d'avocat (90 Kcal)
- ¼ tasse (60 ml) de fromage feta 20 % m.g. (70 Kcal)
- 30 g de fromage mozzarella ou suisse léger râpé (110 Kcal)
- 6 d'olives noires (50 Kcal)
- 30 g de fromage de chèvre 12 % m.g. (49 Kcal)
- 1 tranche de bacon (95 Kcal)

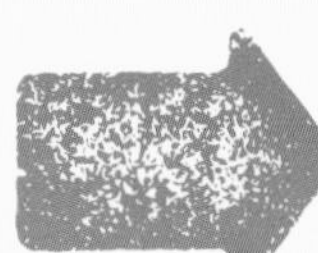

Total

- **Omelette ordinaire:** de 226 à 428 Kcal
- **Omelette avec ajout pour la phase de maintien:** de 276 à 538 Kcal

Le coupe-faim

QUANTITÉ › *1 portion* / **CALORIES ›** *292 par portion*

PRÉPARATION › 5 MINUTES / TOTAL › 23 MINUTES

INGRÉDIENTS

1/2	avocat
1	œuf
1	pincée de poivre
1	tranche de pain intégral (80 Kcal max)

PRÉPARATION

1. Préchauffez le four à 350 °F (180 °C).
2. Retirez le noyau de l'avocat et placez la moitié d'avocat dans un ramequin (ou formez un bol avec du papier d'aluminium).
3. Cassez l'œuf et placez-le dans la cavité de l'avocat où se trouvait le noyau. Saupoudrez de poivre.
4. Préparez un bain-marie. Déposez le ramequin et versez de l'eau chaude jusqu'à mi-hauteur. Faites cuire au four environ 18 minutes, ou jusqu'à la cuisson désirée.
5. Trempez votre rôtie dans le jaune d'œuf ou tartinez-la du mélange d'avocat et d'œuf.

Bon à savoir

Selon une récente étude, manger ½ avocat au déjeuner contribuerait à une meilleure satiété et réduirait les envies de grignoter tout au long de la journée.

LE TROMPE-L'ŒIL

QUANTITÉ › *1 portion* / **CALORIES ›** *232 par portion*

PRÉPARATION › 5 MINUTES / TOTAL › 5 MINUTES

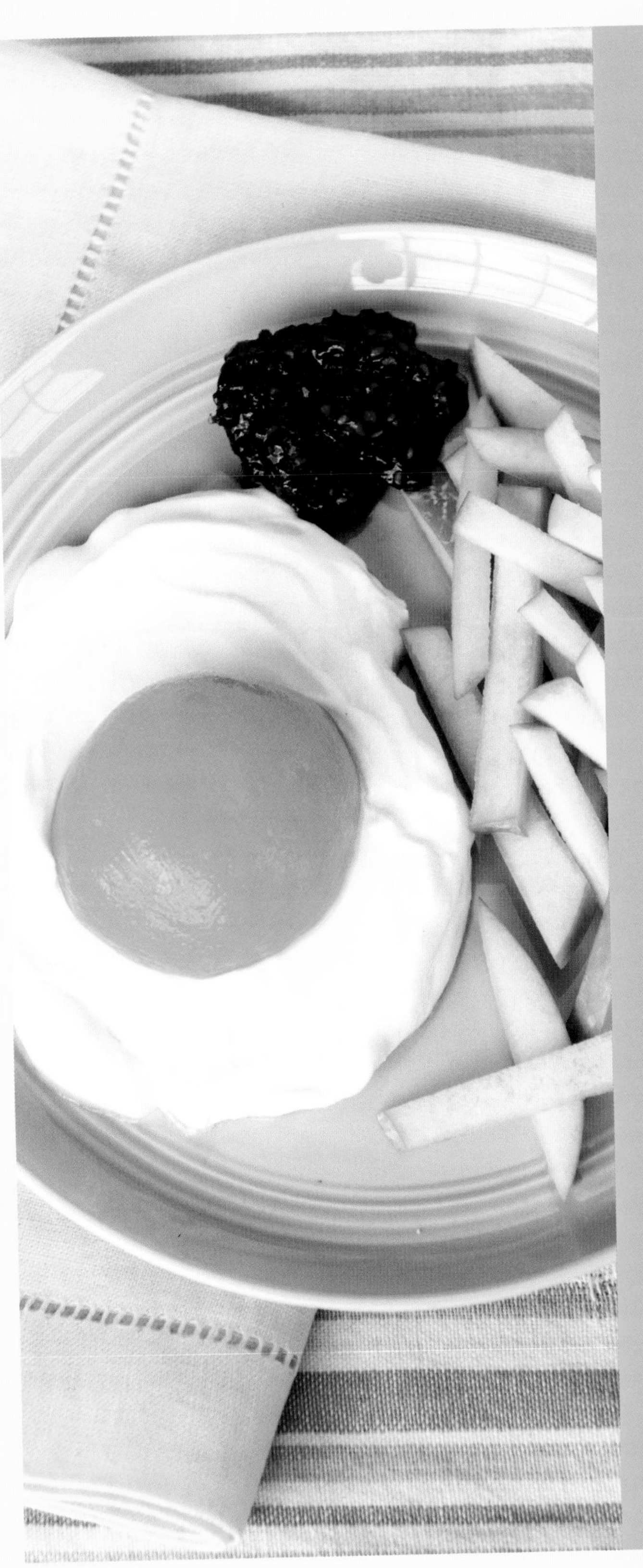

INGRÉDIENTS

1/2 tasse (125 ml) de yogourt grec nature 0 % m.g.
1/2 pêche en conserve, épongée
1 pomme
1 c. à thé (5 ml) de jus de citron
1 c. à soupe (15 ml) de confiture de framboises allégée

PRÉPARATION

1. Dans une assiette, déposez le yogourt en formant un cercle.
2. Déposez la demi-pêche épongée à l'aide d'un papier absorbant au centre du yogourt.
3. Pelez la pomme, coupez-la en bâtonnets, puis arrosez du jus de citron.
4. Disposez les bâtonnets dans l'assiette et déposez la confiture.
5. Au moment de déguster, mélangez la confiture avec le yogourt pour le sucrer.

SMOOTHIE AUX PACANES ET À L'ÉRABLE

QUANTITÉ › *1 portion* / **CALORIES ›** *319 par portion*

PRÉPARATION › 5 MINUTES / TOTAL › 8 MINUTES

INGRÉDIENTS

2	dattes dénoyautées, réhydratées*
1	c. à soupe (15 ml) de pacanes hachées
1	c. à thé (5 ml) de sirop d'érable
1	c. à thé (5 ml) d'édulcorant sans calories Splenda
3/4	tasse (185 ml) de boisson de soya non sucrée
1/2	tasse (125 ml) de yogourt grec nature 0 % m.g.
1	pincée de cannelle moulue

PRÉPARATION

1. Dans un robot mélangeur, déposez les dattes réhydratées et les pacanes. Mélangez 1 minute.
2. Ajoutez le sirop d'érable, l'édulcorant Splenda, la boisson de soya et le yogourt.
3. Mélangez jusqu'à l'obtention d'un mélange lisse et onctueux.
4. Versez dans un verre et saupoudrez de cannelle moulue.

Bon à savoir

La cannelle constitue une vraie petite mine d'or à ajouter à vos recettes. En effet, en plus de contenir des antioxydants réputés pour diminuer les risques de développer des maladies cardiovasculaires, elle est constituée à 50 % de fibres. Il y a 1,3 g de fibres dans 1 c. à thé (5 ml) de cannelle moulue.

* Pour réhydrater les dattes, les laisser tremper quelques heures dans l'eau.

Smoothie aux canneberges et à l'orange

QUANTITÉ › *1 portion*
CALORIES › *272 par portion*

PRÉPARATION › 4 MINUTES
TOTAL › 8 MINUTES

INGRÉDIENTS

- **1/2** tasse (125 ml) de canneberges
- Les suprêmes d'une petite orange
- **1/4** tasse (60 ml) de jus d'orange
- **1/3** tasse (80 ml) de lait écrémé
- **1/4** tasse (60 ml) de yogourt grec à la vanille 0 % m.g.
- **2** c. à thé (10 ml) de miel
- **4** glaçons

PRÉPARATION

1. Mettez tous les ingrédients dans un robot mélangeur et mélangez jusqu'à l'obtention d'un mélange onctueux et lisse.

Bon à savoir

La canneberge renferme des anthocyanines, des composés phénoliques possédant une activité antioxydante et anti-inflammatoire sur les cellules du corps, en plus de prévenir le développement de maladies telles que certains cancers, les maladies cardiovasculaires et autres maladies chroniques.

MUFFINS AUX BANANES ET À L'AVOINE

QUANTITÉ › *18 portions*
CALORIES › *177 par portion*

PRÉPARATION › 10 MINUTES / TOTAL › 35 MINUTES

INGRÉDIENTS

3	tasses (750 ml) de farine d'épeautre
1	tasse (250 ml) de flocons d'avoine
1/4	tasse (60 ml) de sucre
1	c. à thé (5 ml) de poudre à pâte
1	c. à thé (5 ml) de bicarbonate de soude
1/2	c. à thé (2,5 ml) de sel
1/4	tasse (60 ml) de pépites de chocolat noir
3	bananes mûres, écrasées
1	tasse (250 ml) de lait écrémé
1/2	tasse (125 ml) de yogourt grec 0 % m.g.
1/4	tasse (60 ml) d'huile végétale
2	gros œufs
1	c. à soupe (15 ml) d'extrait de vanille

PRÉPARATION

1. Placez la grille au centre du four. Préchauffez le four à 350 °F (180 °C).
2. Dans un grand bol, mélangez la farine, l'avoine, le sucre, la poudre à pâte, le bicarbonate de soude, le sel et les pépites de chocolat. Réservez.
3. Dans un autre grand bol, mélangez bien les bananes écrasées, le lait, le yogourt, l'huile, les œufs et la vanille.
4. Ajoutez les ingrédients secs à la préparation humide et mélangez juste assez pour humecter.
5. Répartissez la pâte dans les moules. Faites cuire au four de 20 à 25 minutes, ou jusqu'à ce qu'un cure-dent inséré au centre en ressorte propre. Laissez refroidir quelques minutes.

SI VOUS AJOUTEZ...
1 tasse (250 ml) de lait 1 % + 1 pomme
= 200 calories

377 par portion

Muffins à l'orange et aux bleuets

QUANTITÉ › *12 portions*
CALORIES › *175 par portion*

PRÉPARATION › 12 MINUTES / TOTAL › 37 MINUTES

INGRÉDIENTS

1 1/2 tasse (375 ml) de farine de blé entier
1 1/2 tasse (375 ml) de farine tout usage
1/2 tasse (125 ml) d'édulcorant sans calories en granules Splenda
1 1/2 c. à thé (7,5 ml) de poudre à pâte
1 1/2 c. à thé (7,5 ml) de bicarbonate de soude
1/2 c. à thé (2,5 ml) de sel
1 tasse (250 ml) de lait écrémé
2 œufs
2 blancs d'œufs
1 c. à soupe (15 ml) de zeste d'orange
3/4 tasse (185 ml) de yogourt grec nature 0 % m.g.
1/4 tasse (60 ml) de jus d'orange
1/4 tasse (60 ml) d'huile végétale
1 c. à soupe (15 ml) de miel
1 c. à thé (5 ml) d'extrait de vanille
1 1/2 tasse (375 ml) de bleuets surgelés

SI VOUS AJOUTEZ...
½ tasse (125 ml) de yogourt grec à la vanille 0 % m.g.
12 amandes non salées
= 174 calories

349 par portion

PRÉPARATION

1. Placez la grille au centre du four. Préchauffez le four à 350 °F (180 °C).
2. Dans un grand bol, mélangez les farines, le Splenda, la poudre à pâte, le bicarbonate de soude et le sel. Réservez.
3. Dans un autre grand bol, mélangez bien le lait, les œufs, les blancs d'œufs, le zeste d'orange, le yogourt, le jus d'orange, l'huile, le miel et la vanille.
4. Ajoutez les ingrédients secs à la préparation humide et mélangez juste assez pour humecter. Ajoutez les bleuets et mélangez délicatement.
5. Répartissez la pâte dans les moules. Faites cuire au four de 20 à 25 minutes, ou jusqu'à ce qu'un cure-dent inséré au centre en ressorte propre. Laissez refroidir quelques minutes.

SANS GLUTEN

CRÊPES AU MAÏS

QUANTITÉ › *3 portions*
CALORIES › *286 par portion*

PRÉPARATION › 5 MINUTES / TOTAL › 15 À 20 MINUTES

INGRÉDIENTS

2	œufs
1	tasse (250 ml) de lait de soya nature, non sucré
1 1/2	tasse (375 ml) de farine de maïs
1/4	c. à thé (1,25 ml) de poudre à pâte
1/4	c. à thé (1,25 ml) de bicarbonate de soude
1/4	c. à thé (1,25 ml) de sel
1	c. à soupe (15 ml) d'huile végétale
2	c. à soupe (30 ml) de sirop d'érable
1/2	tasse (125 ml) de fraises, coupées en deux

PRÉPARATION

1. Dans un grand bol, mélangez la farine, la poudre à pâte, le bicarbonate de soude et le sel.
2. Dans un autre grand bol, mélangez bien le lait, les œufs et l'huile.
3. Intégrez les ingrédients liquides aux ingrédients secs et mélangez jusqu'à ce que le mélange soit bien lisse.
4. Vaporisez une poêle d'antiadhésif à cuisson, puis faites cuire 4 crêpes jusqu'à ce que les deux côtés soient dorés.
5. Placez 2 crêpes par assiette, répartissez le sirop d'érable et les fraises.

Bon à savoir

La farine de maïs, en plus d'être pratique pour les gens souffrant d'intolérance au gluten, est intéressante par sa valeur nutritive puisqu'elle est faible en acides gras et fournit 9 g de protéines par portion de 100 g.

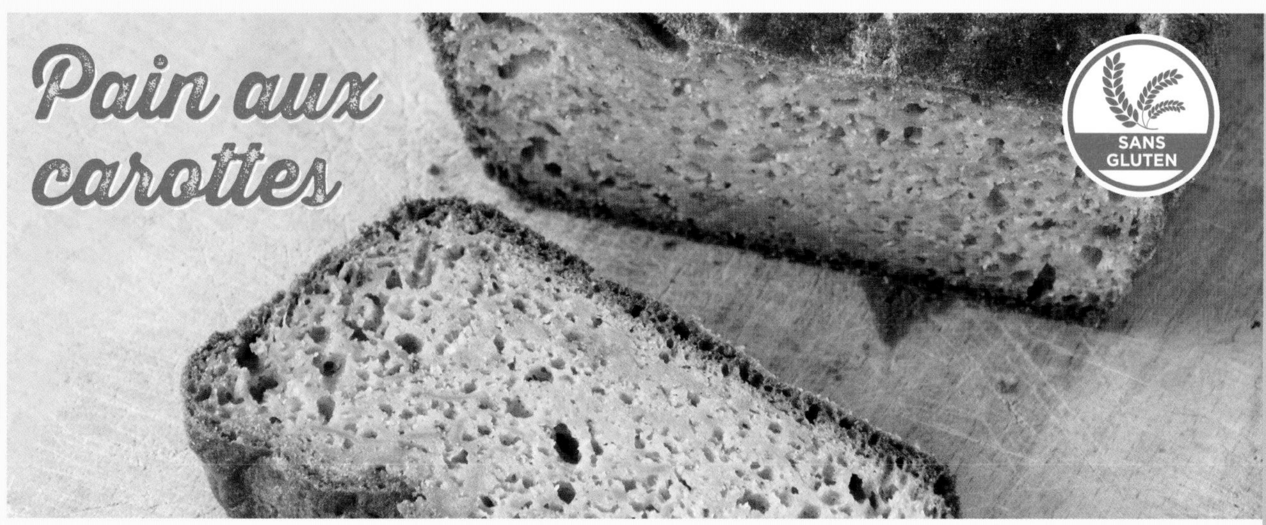

Pain aux carottes

QUANTITÉ › *8 portions* / **CALORIES** › *260 par portion*

PRÉPARATION › 15 MINUTES / TOTAL › 1 H 30

INGRÉDIENTS

2 tasses (500 ml) de farine tout usage sans gluten
1/2 tasse (125 ml) de sucre
1/2 c. à thé (2,5 ml) de bicarbonate de soude
1/2 c. à thé (2,5 ml) de poudre à pâte
1/4 c. à thé (1,25 ml) de sel
1 c. à thé (5 ml) de cannelle moulue
1 c. à thé (5 ml) de gingembre moulu
1/8 c. à thé (0,6 ml) de muscade moulue
1/2 c. à thé (2,5 ml) de gomme de xanthane
2 œufs
3 blancs d'œufs
1/4 tasse (60 ml) d'huile végétale
1/4 tasse (60 ml) de yogourt grec nature 0 % m.g.
1/4 tasse de compote de pommes sans sucre
2 tasses (500 ml) de carottes râpées

PRÉPARATION

1. Placez la grille au centre du four. Préchauffez le four à 350 °F (180 °C).
2. Vaporisez un moule à pain d'antiadhésif à cuisson et saupoudrez-le de farine.
3. Dans un grand bol, mélangez la farine, le sucre, la poudre à pâte, le bicarbonate de soude, le sel, la gomme de xanthane et les épices. Réservez.
4. Dans un autre grand bol, mélangez bien les œufs, les blancs d'œufs, l'huile, le yogourt, la compote de pommes et les carottes râpées.
5. Ajoutez les ingrédients secs à la préparation humide et mélangez juste assez pour humecter.
6. Versez le mélange dans le moule à pain et faites cuire de 45 à 55 minutes ou jusqu'à ce qu'un cure-dent inséré au centre en ressorte propre.
7. Laissez refroidir de 15 à 20 minutes.
8. Démoulez à l'aide d'un couteau et laissez refroidir sur une grille.

Casserole d'œufs et de quinoa

QUANTITÉ › *6 portions* / **CALORIES ›** *325 par portion*

PRÉPARATION › 10 À 15 MINUTES / TOTAL › 1 H

INGRÉDIENTS

1	c. à thé (5 ml) d'huile d'olive
1	petit oignon, émincé
1/4	tasse (60 ml) de quinoa blanc, cuit
1/4	tasse (60 ml) de quinoa rouge, cuit
8	œufs
1 1/2	tasse (375 ml) de lait écrémé
1	c. à soupe (15 ml) d'ail haché
1/2	c. à thé (2,5 ml) de sel
	Poivre, au goût
2	tasses (500 ml) d'épinards, coupés grossièrement
1	courgette de taille moyenne, coupée en tranches
1	tasse (250 ml) de fromage mozzarella 20 % m.g.

PRÉPARATION

1. Dans un poêlon antiadhésif, faites revenir l'oignon dans l'huile d'olive pour l'attendrir. Réservez.
2. Placez la grille au centre du four. Préchauffez le four à 350 °F (180 °C).
3. Vaporisez d'antiadhésif à cuisson un plat allant au four.
4. Dans un bol, mélangez le quinoa, les œufs, le lait, l'ail, le sel, le poivre et les oignons.
5. Ajoutez les épinards et mélangez bien.
6. Versez le tout dans le plat et disposez les tranches de courgette sur le dessus.
7. Faites cuire au four 45 minutes.
8. Parsemez de fromage et remettez au four 10 minutes ou jusqu'à ce que le fromage soit doré.

Bon à savoir

Le quinoa, en plus d'être riche en fibres alimentaires et en protéines, constitue une bonne source de manganèse. Ce dernier facilite plusieurs processus métaboliques et prévient les effets néfastes des radicaux libres sur les cellules.

OMELETTE AU FOUR

QUANTITÉ › *6 portions* / **CALORIES ›** *236 par portion*

PRÉPARATION › 15 MINUTES / TOTAL › 1 H 15 MINUTES

INGRÉDIENTS

2 c. à thé (10 ml) d'huile d'olive
1 gousse d'ail, émincée
1 petit oignon, émincé
1/4 tasse (60 ml) de basilic frais, haché
1 c. à soupe (15 ml) persil plat, haché
1 c. à thé (5 ml) de thym frais, haché
1 c. à thé (5 ml) de ciboulette fraîche, hachée
6 œufs
1/2 tasse (125 ml) de boisson de riz non sucrée
10 tomates cerises, coupées en deux
300 g de fromage râpé sans lactose 4 % m.g.
1/4 c. à thé (1,25 ml) de sel
Poivre, au goût

PRÉPARATION

1. Dans un poêlon antiadhésif, faites revenir l'oignon et l'ail dans l'huile d'olive pour les attendrir. Réservez.
2. Placez la grille au centre du four. Préchauffez le four à 350 °F (180 °C).
3. Vaporisez d'antiadhésif à cuisson un plat allant au four et saupoudrez le fond de la moitié du fromage.
4. Dans un bol, battez les œufs avec la boisson de riz, les fines herbes, l'oignon, l'ail le sel et le poivre.
5. Versez le mélange d'œufs dans le plat et parsemez du reste du fromage.
6. Placez les tomates sur le dessus et faites cuire 40 minutes.
7. Laissez refroidir 15 minutes avant de servir.

SI VOUS AJOUTEZ...
1 tranche de pain intégral
= **80 calories**

316 par portion

Bon à savoir

Selon certaines études, une consommation d'environ 6 gousses d'ail (18 g) par semaine diminuerait de 50 % les risques de développer un cancer de l'estomac et de 30 % les risques de développer un cancer colorectal.

Pain doré multigrain

QUANTITÉ › *2 portions*
CALORIES › *270 par portion*

PRÉPARATION › 10 MINUTES
TOTAL › 25 MINUTES

INGRÉDIENTS

3	tranches de pain de blé entier
1	œuf
2/3	tasse (165 ml) de lait d'amandes
2	c. à thé (10 ml) de graines de lin
2	c. à thé (10 ml) de graines de chia
2	c. à thé (10 ml) de graines de tournesol non salées
1	c. à soupe (15 ml) de cassonade
1/2	tasse (125 ml) de yogourt grec à la vanille 0 % m.g.
1/2	tasse (125 ml) de bleuets frais

PRÉPARATION

1. Placez la grille au centre du four. Préchauffez le four à 350 °F (180 °C) et recouvrez une plaque à pâtisserie de papier parchemin.
2. Dans un grand bol, mélangez les trois graines et la cassonade. Réservez.
3. Dans un autre bol, battez l'œuf et le lait d'amande au fouet. Déposez les tranches de pain dans cette préparation et les laisser imbiber 1 minute de chaque côté.
4. Égouttez légèrement, puis déposez les tranches de pain dans l'autre préparation pour les enrober de chaque côté.
5. Déposez les tranches de pain sur la plaque à pâtisserie et faites cuire au four de 10 à 12 minutes de chaque côté.
6. Garnissez de yogourt grec et de bleuets.

Bon à savoir

En plus d'être une excellente source de fibres alimentaires, les graines de lin contribuent à réduire le taux de cholestérol des personnes souffrant d'hypercholestérolémie. Il suffit d'en consommer de 2 à 5 c. à soupe (de 30 à 75 ml) par jour.

GRUAU AU BEURRE D'ARACHIDES

QUANTITÉ › *4 portions* / **CALORIES ›** *291 par portion*

PRÉPARATION › 5 MINUTES / TOTAL › 15 MINUTES

INGRÉDIENTS

2	tasses (500 ml) de boisson de soya enrichie, non sucrée
1 1/2	tasse (375 ml) d'eau chaude
1/4	tasse (60 ml) de beurre d'arachides croquant, naturel et non sucré
2	c. à soupe (30 ml) de sirop d'érable
1/2	c. à thé (2,5 ml) d'essence de vanille
1	tasse (250 ml) de framboises
1 1/2	tasse (375 ml) de flocons d'avoine (gruau) à cuisson rapide

PRÉPARATION

1. Dans une casserole, mélangez la boisson de soya, l'eau, le beurre d'arachides, le sirop et la vanille. Portez à ébullition.
2. Une fois à ébullition, ajoutez le gruau et continuez la cuisson pendant 5 minutes en réduisant le feu à moyen-doux.
3. Répartissez le mélange dans 4 bols et garnissez de framboises.

MUFFINS SALÉS AU SAUMON FUMÉ

QUANTITÉ › *10 portions*
CALORIES › *185 par portion*

PRÉPARATION › 15 MINUTES / TOTAL › 35 MINUTES

INGRÉDIENTS

2	c. à soupe + 1 c. à thé (35 ml) d'huile d'olive
1	échalote française, hachée
1	tasse (250 ml) de farine de blé entier
1	tasse (250 ml) de farine tout usage
1	c. à thé (5 ml) de bicarbonate de soude
1	c. à thé (5 ml) de poudre à pâte
1	pincée de sel
2	œufs
2	blancs d'œufs
1	tasse (250 ml) de lait écrémé
1/4	tasse (60 ml) de yogourt grec nature 0 % m.g.
1	tasse (250 ml) d'épinards, hachés
1	oignon vert, haché
1/2	c. à thé (2,5 ml) d'aneth frais, haché
	Poivre, au goût
1	tasse (250 ml) de fromage feta léger 13 % m.g., émietté
60	g de saumon fumé, coupé en petits morceaux

PRÉPARATION

1. Placez la grille au centre du four. Préchauffez le four à 350 °F (180 °C).
2. Dans un poêlon antiadhésif, faites revenir l'échalote française dans 1 c. à thé (5 ml) d'huile d'olive pour l'attendrir. Réservez.
3. Dans un bol, mélangez les farines, la poudre à pâte, le bicarbonate de soude et le sel.
4. Dans un autre bol, mélangez les œufs, les blancs d'œufs, le lait, 2 c. à soupe (30 ml) d'huile d'olive, le yogourt, les épinards, l'oignon vert, l'aneth, l'échalote et le poivre.
5. Ajoutez les ingrédients secs à la préparation humide et mélangez juste assez pour humecter.
6. Ajoutez le fromage et le saumon et mélangez délicatement.
7. Répartissez en quantité égale dans un moule à muffins et placez le tout au four 20 minutes, ou jusqu'à ce qu'un cure-dent inséré au centre en ressorte propre.

Bon à savoir

Le saumon fumé contient deux acides gras de la famille des Oméga-3, soit l'ADH et l'AEP. Ceux-ci favorisent une bonne santé cardiovasculaire et réduisent les risques d'athérosclérose en diminuant les triglycérides, la tension artérielle et la formation possible de caillots sanguins.

SI VOUS AJOUTEZ...

1 verre (250 ml) de boisson de soya
= **100 calories**

285 par portion

Tofu brouillé aux champignons

QUANTITÉ › *4 portions*
CALORIES › *146 par portion*

PRÉPARATION › 10 MINUTES / TOTAL › 20 MINUTES

INGRÉDIENTS

1	c. à soupe (15 ml) d'huile d'olive
1	oignon de taille moyenne, haché
1	casseau de champignons, coupés en quartiers
1	gousse d'ail, hachée
1/4	tasse (60 ml) de ciboulette, hachée
450	g de tofu nature ferme, émietté grossièrement
2	c. à thé (10 ml) de jus de citron
1	c. à thé (5 ml) de sauce soya réduite en sodium
1	c. à thé (5 ml) de curcuma
	Sel et poivre, au goût
	Sauce piquante, au goût (facultatif)

PRÉPARATION

1. Dans un bol, mélangez le tofu émietté avec le jus de citron, la sauce soya et le curcuma. Réservez.
2. Dans un poêlon antiadhésif, faites chauffer l'huile à feu moyen et faites cuire les oignons et les champignons de 4 à 5 minutes.
3. Ajoutez l'ail et le mélange de tofu et laissez cuire à feu moyen-doux 5 minutes.
4. Assaisonnez au goût et ajoutez la ciboulette. Mélangez et servez.

Bon à savoir

Vous pouvez augmenter l'absorption de la curcumine* par votre organisme en ajoutant du poivre noir fraîchement moulu à votre recette.

SI VOUS AJOUTEZ...

1 tranche de pain intégral ou de blé entier

= 80 calories

226 par portion

* Curcumine: Composé bénéfique pour votre corps contenu dans le curcuma.

Wrap aux fraises et au basilic

QUANTITÉ › *1 portion* / **CALORIES ›** *323 par portion*

PRÉPARATION › 5 MINUTES / TOTAL › 5 MINUTES

INGRÉDIENTS

- **2** c. à soupe (30 ml) de fromage à la crème léger
- **1** tortilla de blé entier de 6 pouces
- **1** c. à soupe (15 ml) d'amandes, hachées
- **4** fraises, coupées en deux
- **4 ou 5** feuilles de basilic
- **1** c. à thé (5 ml) de miel

PRÉPARATION

1. Étendez le fromage à la crème sur la tortilla, puis ajoutez les amandes hachées.
2. Disposez les moitiés de fraises sur le long, puis ajoutez le basilic et le miel.
3. Enroulez la tortilla et dégustez !

Bon à savoir

Les fraises possèdent une importante activité antioxydante vu leur contenu en anthocyanines, des composés phénoliques de la famille des flavonoïdes. Ces anthocyanines protégeraient contre le cancer en inhibant la croissance des cellules cancéreuses dans le côlon, la prostate et la bouche.

SALADE DE FRUITS À LA THAÏ

QUANTITÉ › *3 portions*
CALORIES › *255 par portion*

PRÉPARATION › 12 MINUTES / TOTAL › 12 MINUTES

INGRÉDIENTS

1/2 papaye, pelée et coupée en petits dés
6 litchis, pelés et coupés en quartiers
1 tasse (250 ml) de fraises, équeutées et coupées en deux
1 c. à soupe (15 ml) de miel
1/2 tasse (125 ml) de yogourt grec 0 % m.g.
3/4 tasse (185 ml) de lait de coco
zeste de ½ lime
3 tasses (750 ml) de céréales de riz soufflé

PRÉPARATION

1. Mélangez les fruits délicatement dans un bol.
2. Dans un autre bol, mélangez le miel, le yogourt, le lait de coco et le zeste de lime, puis versez le mélange sur les fruits.
3. Garnissez des céréales.

Coupe de cottage et chia

QUANTITÉ › *2 portions* / **CALORIES** › *210 par portion*

PRÉPARATION › 5 MINUTES / TOTAL › 5 MINUTES

INGRÉDIENTS

1/2	melon miel, coupé en dés
1	tasse (250 ml) de fromage cottage 0 % m.g.
6	framboises fraîches
2	fraises fraîches, tranchées
12	bleuets frais
1	c. à thé (5 ml) de graines de chia

PRÉPARATION

1. Dans un bol, mélangez les graines de chia au fromage cottage.
2. Déposez le mélange dans le fond des coupes.
3. Ajoutez le melon et les petits fruits.

Bon à savoir

Les graines de chia contiennent des Oméga-3 et des Oméga-6, de « bons » acides gras. Selon une étude, ceux-ci réduiraient les facteurs de risques de maladies cardiovasculaires, tels que la tension artérielle et la protéine C réactive, chez les personnes souffrant de diabète de type 2 qui en ont consommé de 2 à 3 c. à soupe (de 30 à 45 ml) par jour pendant 3 mois.

PARFAIT TROPICAL

QUANTITÉ › *1 portion* / **CALORIES ›** *225 par portion*

PRÉPARATION › 3 MINUTES / TOTAL › 6 MINUTES

INGRÉDIENTS

1	tasse (250 ml) de yogourt grec à la vanille 0 % m.g.
1/4	tasse (60 ml) d'ananas, coupé en petits dés
1/4	tasse (60 ml) de mangue, coupée en petits dés
1/2	banane de taille moyenne, tranchée
2	c. à soupe (30 ml) de flocons de noix de coco, rôtis

PRÉPARATION

1. Dans un verre allongé, déposez 1/3 du yogourt, puis ajoutez la mangue.
2. Ajoutez 1/3 du yogourt, puis ajoutez l'ananas.
3. Ajoutez le reste du yogourt, puis les tranches de banane et parsemez des flocons de noix de coco.

SI VOUS AJOUTEZ...

10 amandes crues, non salées

= **70 calories**

295 par portion

GAUFRE SANTÉ AUX PETITS FRUITS

QUANTITÉ › *4 portions* / **CALORIES ›** *274 par portion*

PRÉPARATION › 10 MINUTES / TOTAL › 30 MINUTES

INGRÉDIENTS

1 1/2 tasse (375 ml) de farine tout usage
1/2 tasse (125 ml) de farine de blé entier
1 1/2 c. à soupe (22,5 ml) de sucre
1/2 c. à thé (2,5 ml) de poudre à pâte
1 pincée de sel
1 œuf
1 tasse (250 ml) de lait écrémé
2 1/2 c. à soupe (22,5 ml) d'huile végétale
1 c. à thé (5 ml) d'extrait de vanille
2 tasses (500 ml) de petits fruits au choix (bleuets, fraises, framboises, mûres)
2 c. à soupe (30 ml) de sirop d'érable

PRÉPARATION

1. Dans un bol, mélangez les petits fruits et le sirop. Réservez.
2. Dans un deuxième bol, mélangez bien tous les ingrédients secs : les farines, le sucre, la poudre à pâte et le sel.
3. Dans un troisième bol, fouettez l'œuf, le lait, 1½ c. à soupe d'huile végétale et l'extrait de vanille.
4. Incorporez délicatement au mélange d'ingrédients secs en 2 temps et mélangez bien.
5. Chauffez le gaufrier et badigeonnez-le reste d'huile végétale. Étendez ½ tasse du mélange de pâte pour chaque gaufre et fermez le gaufrier.
6. Faites cuire de 4 à 5 minutes, ou jusqu'à ce que la pâte soit bien dorée.
7. Déposez la gaufre dans une assiette et garnissez-la de petits fruits.

Bagel croque-matin

QUANTITÉ › *1 portion* / **CALORIES ›** *281 par portion*

PRÉPARATION › 5 MINUTES / TOTAL › 15 MINUTES

INGRÉDIENTS

- **1/2** bagel de blé entier
- **1** c. à soupe (15 ml) de pesto aux tomates séchées
- **2** asperges, coupées dans le sens de la longueur
- **1/2** tasse (125 ml) d'épinards
- **90** g de jambon
- **1** tranche de fromage suisse léger 20 % m.g.
- Poivre, au goût

PRÉPARATION

1. Préchauffez le four à 400 °F (200 °C) à broil.
2. Tartinez le bagel de pesto aux tomates séchées et déposez-y les épinards.
3. Ajoutez le jambon, puis la tranche de fromage.
4. Placez les asperges sur le dessus et mettez au four.
5. Faites cuire jusqu'à ce que le fromage soit fondu et légèrement doré.

Muesli maison

QUANTITÉ › *12 portions* / **CALORIES ›** *262 par portion*

PRÉPARATION › 10 MINUTES / TOTAL › 1 HEURE

INGRÉDIENTS

1/4 tasse (60 ml) d'huile végétale
2 tasses (500 ml) de flocons d'avoine (gruau)
1/3 tasse (80 ml) d'amandes en bâtonnets
1/3 tasse (80 ml) de graines de tournesol crues, non salées
1/2 tasse (125 ml) de riz soufflé
1/2 tasse (125 ml) de sirop d'érable
1/2 tasse (125 ml) de bleuets séchés, non sucrés
1/2 tasse (125 ml) de canneberges séchées
1/4 tasse (60 ml) d'eau

PRÉPARATION

1. Placez la grille au centre du four. Préchauffez le four à 300 °F (150 °C). Tapissez une plaque à biscuits de papier parchemin.
2. Dans un bol, mélangez l'avoine, les amandes, les graines de tournesol et le riz soufflé.
3. Ajoutez le sirop, l'huile, l'eau et mélangez bien.
4. Répartissez sur la plaque. Faites cuire au four de 40 à 55 minutes en remuant toutes les 10 minutes, ou jusqu'à ce que le granola soit bien doré. Ajoutez les fruits séchés et mélangez.
5. Laissez refroidir complètement et gardez dans un contenant hermétique.

SANS
LACTOSE

Essayez de manger dans de petites assiettes; cela vous donnera l'impression d'avoir une plus grande portion.

LES DÎNERS

8 wraps santé

405 KCAL

WRAP DE STEAK AU FROMAGE BLEU

RECETTE EN P. 97

377 KCAL

WRAP À L'AVOCAT ET AU POULET

RECETTE EN P. 96

314 KCAL

WRAP AU TOFU

RECETTE EN P. 103

311 KCAL

WRAP À LA MEXICAINE

RECETTE EN P. 98

386 KCAL

WRAP DE LA MER

RECETTE EN P. 100

275 KCAL

WRAP MÉDITERRANÉEN

RECETTE EN P. 99

318 KCAL

WRAP AUX ŒUFS

RECETTE EN P. 101

389 KCAL

WRAP AU BŒUF

RECETTE EN P. 102

WRAP À L'AVOCAT ET AU POULET

QUANTITÉ › *1 portion* / **CALORIES ›** *377 par portion*

PRÉPARATION › 10 MINUTES / TOTAL › 10 MINUTES

INGRÉDIENTS

1	tortilla de 8 po aux épinards ou de blé entier
90	g de poitrine de poulet tranchée, cuite
1/4	tasse (60 ml) de poivron rouge, coupé en lanières
1/4	tasse (60 ml) de tomate, coupée en petits dés
1/4	d'avocat, tranché
2	c. à soupe (30 ml) de fromage feta léger 13 % m.g., émietté
1	c. à thé d'oignon vert, haché
10	feuilles de coriandre fraîche
	Sel et poivre, au goût

PRÉPARATION

1. Étalez les tranches de poulet sur la tortilla. Ajoutez le poivron, la tomate et l'avocat.
2. Ajoutez le feta, l'oignon vert et les feuilles de coriandre.
3. Assaisonnez au goût, puis roulez le tout.

Wrap de steak au fromage bleu

QUANTITÉ › *1 portion* / **CALORIES** › *405 par portion*

PRÉPARATION › 10 MINUTES / TOTAL › 15 MINUTES

INGRÉDIENTS

1	c. à thé (5 ml) d'huile d'olive
1	échalote française, coupée en lanières
90	g de steak sans gras, tranché
1/4	poivron jaune, coupé en lanières
1	tortilla de 8 po de blé entier
2	c. à thé (10 ml) de moutarde de Dijon à l'ancienne
1	c. à soupe (15 ml) de fromage bleu, émietté
1/4	tasse (60 ml) de radicchio
	Sel et poivre, au goût

PRÉPARATION

1. Dans un poêlon antiadhésif, chauffez l'huile et faites suer l'échalote de 1 à 2 minutes.
2. Ajoutez le steak et le poivron. Continuez la cuisson de 4 à 5 minutes.
3. Tartinez la tortilla de moutarde de Dijon.
4. Étalez le steak et l'échalote sur la tortilla.
5. Ajoutez le fromage et le radicchio.
6. Assaisonnez au goût et roulez la tortilla en prenant soin de refermer les extrémités.

Wrap à la mexicaine

QUANTITÉ › *1 portion* / **CALORIES** › *311 par portion*

PRÉPARATION › 10 MINUTES / TOTAL › 10 MINUTES

INGRÉDIENTS

90 g de poitrine de poulet tranchée, cuite
1 tortilla de 8 po à la salsa ou de blé entier
2 c. à soupe (30 ml) de salsa piquante
2 c. à soupe (30 ml) de haricots noirs
1/4 poivron jaune, coupé en lanières
4 tomates cerises, coupées en quartiers
1/4 tasse (60 ml) de laitue romaine
Sel et poivre, au goût

PRÉPARATION

1. Déposez la salsa, les haricots, le poivron, les tomates et la laitue sur la tortilla.
2. Ajoutez le poulet.
3. Assaisonnez au goût, puis roulez le tout.

WRAP MÉDITERRANÉEN

QUANTITÉ › *1 portion*
CALORIES › *275 par portion*

PRÉPARATION › 10 MINUTES
TOTAL › 10 MINUTES

INGRÉDIENTS

1	tortilla de 8 po aux tomates séchées ou de blé entier
2	c. à soupe (30 ml) de hoummos
1/4	tasse (60 ml) d'épinards
1/2	tomate, épépinée et coupée en dés
1/4	concombre, tranché
5	olives Kalamata, coupées en lanières
30	g de fromage de chèvre, émietté
	Sel et poivre, au goût

PRÉPARATION

1. Tartinez la tortilla de hoummos.
2. Ajoutez les épinards, les dés de tomate, le concombre, les olives et le fromage.
3. Assaisonnez au goût, puis roulez le tout.

WRAP DE LA MER

QUANTITÉ › *1 portion* / **CALORIES ›** *386 par portion*

PRÉPARATION › 10 MINUTES / TOTAL › 10 MINUTES

INGRÉDIENTS

1/2 avocat, écrasé
jus de ½ lime
1/4 concombre, coupé en julienne
1/2 oignon vert, tranché
1 tortilla de 8 po aux épinards ou de blé entier
1/4 tasse (60 ml) de bébé épinards
90 g de crevettes nordiques, cuites
Sel et poivre, au goût

PRÉPARATION

1. Dans un bol, mélangez l'avocat écrasé, le jus de lime et l'oignon vert.
2. Étendez ce mélange sur la tortilla.
3. Ajoutez les épinards, les crevettes et le concombre.
4. Assaisonnez au goût, puis roulez le tout.

Wrap aux œufs

QUANTITÉ › *1 portion* / **CALORIES ›** *318 par portion*

PRÉPARATION › 10 MINUTES / TOTAL › 10 MINUTES

INGRÉDIENTS

2 œufs durs coupés en quartiers
1/2 c. à thé (2,5 ml) de ciboulette, hachée
1 tranche de bacon, cuite
1 tortilla de 8 po de blé entier
2 c. à thé (10 ml) de mayonnaise légère
1 c. à thé (5 ml) de moutarde de Dijon
1/4 tasse (60 ml) de mesclun
Sel et poivre, au goût

PRÉPARATION

1. Tartinez la tortilla de mayonnaise et de moutarde. Étendez-y le mesclun.
2. Répartir les œufs sur le mesclun, et ajoutez la tranche de bacon.
3. Parsemez de ciboulette. Assaisonnez au goût, puis roulez le tout.

WRAP AU BŒUF

QUANTITÉ › *1 portion* / **CALORIES ›** *389 par portion*

PRÉPARATION › 5 MINUTES / TOTAL › 16 MINUTES

INGRÉDIENTS

1 c. à thé (5 ml) d'huile d'olive
2 c. à soupe (30 ml) d'oignon blanc, tranché finement
4 champignons, coupés en quartiers
60 g de bœuf haché, extra-maigre
1 pincée de poudre d'ail
30 g de fromage suisse léger, râpé
1 c. à thé (5 ml) de pesto au basilic
1 tortilla de 8 po de blé entier
Sel et poivre, au goût

PRÉPARATION

1. Dans une poêle antiadhésive, chauffez l'huile d'olive et faites suer l'oignon 3 minutes.
2. Ajoutez les champignons et poursuivez la cuisson 3 minutes.
3. Ajoutez le bœuf haché, cuisez 5 minutes, puis retirez du feu et ajoutez la poudre d'ail.
4. Tartinez la tortilla avec le pesto.
5. Ajoutez le mélange de bœuf et parsemez de fromage suisse allégé râpé.
6. Assaisonnez au goût, puis roulez le tout.

Wrap au tofu

QUANTITÉ › *1 portion* / **CALORIES ›** *314 par portion*

PRÉPARATION › 10 MINUTES / TOTAL › 15 MINUTES

INGRÉDIENTS

- **1** c. à thé (5 ml) d'huile d'olive
- **90** g de tofu aux fines herbes extra-ferme, coupé en lanières
- **1** pincée de poudre d'oignon
- **1** tortilla de 8 po de blé entier
- **2** c. à soupe (30 ml) de hoummos
- **1** feuille de laitue
- **2** tranches de tomate
- Sel et poivre, au goût

PRÉPARATION

1. Dans une poêle, chauffez l'huile d'olive et faites cuire les lanières de tofu 3 minutes en les retournant de temps à autre.
2. Ajoutez la poudre d'oignon.
3. Tartinez la tortilla de hoummos, ajoutez la laitue, les tranches de tomate et les lanières de tofu.
4. Salez et poivrez au goût, puis roulez le tout.

Galettes de thon

QUANTITÉ › *2 portions (4 galettes)*
CALORIES › *299 par portion*

PRÉPARATION › 10 MINUTES / TOTAL › 35 MINUTES

INGRÉDIENTS

1	oignon, haché
1	c. à thé (5 ml) + 2 c. à thé (10 ml) d'huile d'olive
1	boîte (200 g) de thon blanc (dans l'eau), égoutté
3	blancs d'œufs
1	branche de céleri, coupée en petits dés
1	petite carotte, coupée en petits dés
2	oignons verts, émincés
1/2	c. à thé (2,5 ml) d'origan séché
1/2	c. à thé (2,5 ml) de jus de citron
2	c. à soupe (30 ml) de farine de riz
	Sel et poivre, au goût

PRÉPARATION

1. Placez la grille au centre du four. Préchauffez le four à 400 °F (200 °C). Recouvrir une plaque à cuisson de papier parchemin et badigeonnez-le de 1 c. à thé (5 ml) d'huile d'olive.
2. Dans un poêlon antiadhésif, faites revenir l'oignon dans 2 c. à thé (10 ml) d'huile d'olive. Réservez.
3. Dans un bol, mélangez le thon, les blanc d'œufs, le céleri, la carotte, les oignons verts, les oignons attendris, l'origan et le jus de citron. Mélangez doucement et assaisonnez.
4. Ajoutez la farine de riz et formez 4 galettes.
5. Déposez les galettes sur la plaque à cuisson et faites cuire au four 12 minutes de chaque côté.
6. Servez sur un lit de salade verte.

SI VOUS AJOUTEZ...

1 tasse (250 ml) de mesclun + ½ tasse (125 ml) de concombre + 4 tomates cerises + 1 c. à soupe (15 ml) de vinaigrette italienne légère
= 50 calories

349 par portion

RIZ INDIEN AU POULET

QUANTITÉ › *3 portions* / **CALORIES ›** *362 par portion*

PRÉPARATION › 20 MINUTES / TOTAL › 40 MINUTES

INGRÉDIENTS

1 1/2 tasse (375 ml) de riz basmati
1/4 tasse (60 ml) de coriandre fraîche, hachée
1/4 tasse (60 ml) de persil frais, haché
2 oignons verts, hachés
1/4 concombre, coupé en petits dés
1/4 tasse (60 ml) de céleri, coupé en petits dés
1/3 tasse (80 ml) d'amandes en bâtonnets, rôties
1/2 tasse (125 ml) de graines de grenade
300 g de poitrine de poulet tranchée, cuite
Sel et poivre, au goût

VINAIGRETTE

2 c. à thé (10 ml) d'huile d'olive
1 1/2 c. à thé (7,5 ml) de jus de citron
1/2 c. à thé (2,5 ml) de curcuma
1 pincée de muscade moulue
Sel et poivre, au goût

PRÉPARATION

1. Faites cuire le riz selon les instructions sur l'emballage.
2. Pendant ce temps, préparez la vinaigrette en mélangeant tous les ingrédients et réservez.
3. Dans un bol, mélangez la coriandre, le persil, les oignons verts, le concombre, le céleri, les amandes et les graines de grenade.
4. Placez le riz dans un plat de service et recouvrez du mélange.
5. Ajoutez le poulet et arrosez de vinaigrette.
6. Assaisonnez et servez.

VELOUTÉ AUX POIS CHICHES ET AUX POMMES

QUANTITÉ › *4 portions* / **CALORIES ›** *300 par portion*

PRÉPARATION › 10 MINUTES / TOTAL › 35 MINUTES

INGRÉDIENTS

1	c. à soupe (15 ml) d'huile d'olive
2	pommes rouges, pelées et hachées
2	oignons émincés
1	gousse d'ail, hachée
1/4	tasse (60 ml) de pâte de tomate
1	boîte (540 ml) de pois chiches
2	tasses (500 ml) d'eau
2	tasses (500 ml) de fond de légumes
1	c. à thé (5 ml) de paprika
	Sel et poivre, au goût

PRÉPARATION

1. Dans une grande casserole, chauffez l'huile d'olive et faites revenir les oignons, les pommes et l'ail de 3 à 5 minutes.
2. Ajoutez l'eau, le fond de légumes, la pâte de tomate et le paprika.
3. Portez à ébullition, puis ajoutez les pois chiches.
4. Couvrez et laissez mijoter de 15 à 20 minutes.
5. Passez au mélangeur jusqu'à l'obtention d'une soupe lisse. Assaisonnez et servez.

SI VOUS AJOUTEZ...
4 tranches de dinde froide sans nitrite
= **33 calories**

333 par portion

Bon à savoir

Saviez-vous que le paprika est obtenu à partir de piment rouge déshydraté ? Riche en vitamine C, le paprika aide à maintenir les os, les dents, les gencives et les cartilages en santé. De plus, il participe activement à la cicatrisation.

Mac n' Cheese santé

QUANTITÉ › *4 portions* / **CALORIES ›** *311 par portion*

PRÉPARATION › 10 MINUTES / TOTAL › 35 MINUTES

INGRÉDIENTS

2 tasses (500 ml) de macaronis de quinoa
1 c. à soupe (15 ml) de beurre
1 petit oignon, émincé
1 courge musquée
5 tasses (1,25 L) de bouillon de poulet réduit en sodium
3/4 tasse (180 ml) de lait écrémé
1/2 c. à thé (2,5 ml) de sel
2/3 tasse (160 ml) de fromage suisse allégé, râpé
Poivre, au goût

PRÉPARATION

1. Faites cuire les macaronis selon les instructions sur l'emballage. Réservez.
2. Pendant ce temps, dans une casserole, faites fondre le beurre et faites-y revenir l'oignon 10 minutes.
3. Retirez la peau et les graines de la courge, et coupez la chair en petits cubes.
4. Dans une autre casserole, portez le bouillon de poulet à ébullition et déposez-y les cubes de courge. Faites cuire 7 minutes, puis mettez les cubes de courge dans un mélangeur avec ½ tasse (125 ml) du bouillon de poulet.
5. Ajoutez les oignons, le lait et le sel au mélangeur et mélangez jusqu'à l'obtention d'une consistance onctueuse.
6. Égouttez les pâtes, remettez-les dans la casserole, puis ajoutez le contenu du mélangeur, le fromage et le poivre. Bien mélanger.
7. Répartissez dans 4 bols et assaisonnez au goût. Servez.

Bon à savoir

La belle couleur orangée de la courge musquée provient de sa teneur élevée en bêta-carotène, qui améliore certaines fonctions immunitaires. Une alimentation riche en bêta-carotène diminuerait également les risques de développer certains cancers.

Salade de quinoa, de pistaches et de raisins

QUANTITÉ › *4 portions* / **CALORIES ›** *302 par portion*

PRÉPARATION › 10 MINUTES / TOTAL › 25 MINUTES

INGRÉDIENTS

- **1/4** tasse (60 ml) de pistaches décortiquées, rôties
- **1** tasse (250 ml) de quinoa
- **2** branches de céleri, haché
- **3** oignons verts, émincés
- **1/2** tasse (125 ml) de raisins rouges, coupés en deux
- **100** g de fromage sans lactose 4 % m.g., en cubes
- **2** c. à thé (10 ml) de persil, haché

VINAIGRETTE

- **1** c. à soupe (15 ml) de vinaigre de vin blanc
- **2** c. à thé (10 ml) d'huile d'olive extra-vierge
- Sel et poivre, au goût

PRÉPARATION

1. Dans un petit bol, mélangez les ingrédients de la vinaigrette. Réservez.
2. Faites cuire le quinoa selon les instructions sur l'emballage.
3. Pendant ce temps, dans un grand bol, mélangez le céleri, l'oignon vert, les raisins, les cubes de fromage et le persil.
4. Hachez grossièrement les pistaches et ajoutez-les.
5. Passez le quinoa sous l'eau froide, puis ajoutez-le au mélange. Arrosez de vinaigrette et remuez.
6. Salez et poivrez au goût. Servez.

Bon à savoir

Des études ont démontré que la consommation de pistaches durant 3 semaines diminue le taux de cholestérol total et augmente le HDL, ou « bon » cholestérol, lorsque celles-ci remplacent 20 % de l'apport calorique total quotidien, soit entre 65 à 75 g de pistaches chaque jour.

FARFALLES AU SAUMON

QUANTITÉ › *4 portions*
CALORIES › *377 par portion*

PRÉPARATION › 10 MINUTES
TOTAL › 20 MINUTES

INGRÉDIENTS

3 tasses (750 ml) de farfalles
2 gousses d'ail, hachées
3/4 tasse (180 ml) de petits pois
1/4 tasse (60 ml) de persil frais, haché
2 c. à soupe (30 ml) de ciboulette, hachée
2 c. à soupe (30 ml) d'huile d'olive
270 g de filet de saumon frais
jus et zeste de ½ citron

PRÉPARATION

1. Dans une casserole, faites cuire les pâtes, rincez-les à l'eau froide puis mettez-les dans un bol.
2. Entre-temps, faites pocher le filet de saumon dans une casserole d'eau, jusqu'à ce que la chair du poisson se détache facilement à la fourchette. Réservez.
3. Dans un poêlon antiadhésif, faites revenir l'ail dans l'huile d'olive. Réservez.
4. Ajoutez aux pâtes les petits pois, le persil, la ciboulette, le jus et le zeste de citron, l'ail et l'huile d'olive.
5. Ajoutez le saumon et servez.

SALADE FATTOUCHE

QUANTITÉ › *4 portions* / **CALORIES ›** *301 par portion*

PRÉPARATION › 8 MINUTES / TOTAL › 18 MINUTES

INGRÉDIENTS

2	pains pita de blé entier
1	poivron vert, haché
3	tomates, coupées en morceaux
1	concombre, coupé en dés
4	tasses (1 L) de laitue
1	bouquet de persil plat frais, haché
10	feuilles de menthe fraîche, hachées
1/4	d'oignon rouge, tranché finement
200	g de tofu aux fines herbes, émietté
2	c. à soupe (30 ml) de noix de Grenoble
	Sel et poivre, au goût

VINAIGRETTE

3	c. à soupe (45 ml) de jus de citron
2	c. à soupe (30 ml) d'huile d'olive
1	c. à thé (5 ml) d'origan
2	gousses d'ail, hachées
	Sel et poivre, au goût

PRÉPARATION

1. Préchauffez le four à 300 °F (150 °C). Coupez les pains pita grossièrement. Réservez.
2. Ouvrez les pains pita en deux, déposez-les sur une plaque à cuisson et faites-les cuire au four environ 8 minutes, ou jusqu'à ce qu'ils soient bien croustillants et dorés.
3. Dans un grand bol, mélangez tous les légumes et les fines herbes.
4. Préparez la vinaigrette en mélangeant tous les ingrédients, ajoutez-la au mélange de légumes, puis répartissez la salade dans 4 assiettes.
5. Garnissez avec le tofu, les noix de Grenoble et les morceaux de pain pita croustillants. Servez.

Salade mexicaine dans un bol en tortilla

QUANTITÉ › *4 portions* / **CALORIES** › *371 par portion*

PRÉPARATION › 10 MINUTES / TOTAL › 30 MINUTES

INGRÉDIENTS

4	tortillas de blé entier
1	gros oignon blanc, émincé
2	c. à thé (10 ml) d'huile d'olive
350	g de bœuf haché extra-maigre
1	c. à thé (5 ml) de cumin moulu
1	c. à thé (5 ml) de paprika
1/2	c. à thé (2,5 ml) de poudre de chili (facultatif)
1/2	c. à thé (2,5 ml) de jus de lime
1/2	poivron vert, coupé en dés
1/2	tasse (125 ml) de maïs
2	tomates, coupées en dés
1/4	tasse (60 ml) de coriandre fraîche, hachée
2	tasses (500 ml) de laitue
1/2	tasse (125 ml) de fromage cheddar léger, râpé
1/3	tasse (80 ml) de crème sure 0 % m.g.

PRÉPARATION

1. Préchauffez le four à 300 °F (150 °C).
2. Placez chaque tortilla dans un bol à soupe creux ou un bol à café au lait, de façon à mouler le bol. Placez les bols sur une plaque à cuisson.
3. Cuisez de 5 à 7 minutes, ou jusqu'à ce que les tortillas soient dorées. Laissez refroidir. Démoulez les tortillas et placez-les dans une assiette pour le service.
4. Dans un poêlon antiadhésif, faites revenir l'oignon dans l'huile 2 minutes. Ajoutez le bœuf haché, le cumin, le paprika, la poudre de chili et le jus de lime. Faites cuire 10 minutes en remuant fréquemment.
5. Retirez du feu.
6. Commencez l'assemblage en répartissant dans chaque bol de tortilla la laitue, le bœuf, le poivron, la tomate et le maïs.
7. Parsemez de fromage et garnissez de crème sure et de coriandre.

Bon à savoir

Particulièrement utilisée dans la cuisine mexicaine, la poudre de chili est en fait un mélange d'épices comprenant du piment fort, du paprika, de l'ail, de l'origan, du cumin et des clous de girofle. De quoi obtenir une bonne dose d'antioxydants !

Nouilles soba au poulet

QUANTITÉ › *1 portion* / **CALORIES** › *435 par portion*

PRÉPARATION › 10 MINUTES / TOTAL › 25 MINUTES

INGRÉDIENTS

1	c. à thé (5 ml) d'huile d'olive
80	g de poitrine de poulet, cuite
45	g de nouilles soba
1/2	c. à thé (2,5 ml) d'huile de sésame
10	pois mange-tout, coupés en deux
1	carotte, tranchée finement
1/2	poivron jaune, tranché
1	c. à soupe (15 ml) de graines de sésame
2	c. à thé (10 ml) de sauce soya réduite en sodium
1/2	c. à thé (2,5 ml) de gingembre, râpé
1	gousse d'ail, hachée
2	c. à soupe (30 ml) de fond de légumes
1/2	c. à thé (2,5 ml) de vinaigre de riz
1	oignon vert, haché

PRÉPARATION

1. Faites cuire les nouilles selon les instructions sur l'emballage, puis essorez-les.
2. Dans un petit bol, mélangez la sauce soya, le fond de légumes, les graines de sésame et le vinaigre de riz. Réservez.
3. Dans une poêle, chauffez l'huile d'olive et l'huile de sésame et faites revenir l'ail et le gingembre à feu moyen 2 minutes.
4. Ajoutez les nouilles, le poulet, les carottes, le poivron et les pois mange-tout.
5. Versez la sauce réservée sur le tout et faites sauter 2 minutes.
6. Parsemez d'oignons verts et servez.

BROCHETTES DE SOUVLAKI

QUANTITÉ › *6 portions* / **CALORIES ›** *215 par portion*

PRÉPARATION › 15 MINUTES / TOTAL › 30 MINUTES

INGRÉDIENTS

1/4 tasse (60 ml) d'huile d'olive
1/4 tasse (60 ml) de jus de citron
1 c. à soupe (15 ml) d'origan séché
2 gousses d'ail, hachées finement
1/4 c. à thé (1 ml) de sel
1/4 c. à thé (1 ml) de poivre
700 g de filet de porc désossé, coupé en cubes

PRÉPARATION

1. Dans un bol, mélangez l'huile, le jus de citron, l'origan, l'ail, le sel et le poivre.
2. Ajoutez les cubes de porc, mélangez et laissez reposer 15 minutes.
3. Enfilez les cubes de porc sur 6 brochettes en bois ou en métal.
4. Faites cuire sur le barbecue 13 minutes, ou jusqu'à ce que l'intérieur des cubes soit rosé, en badigeonnant les brochettes avec la marinade à mi-cuisson.

SI VOUS AJOUTEZ...

½ tasse (125 ml) de riz brun
1 tasse (250 ml) de laitue iceberg
½ poivron rouge, coupé en dés
1 c. à soupe (15 ml) de vinaigrette italienne légère
= 140 calories

355 par portion

HYPER PROTÉINÉ

Salade niçoise

QUANTITÉ › *2 portions* / **CALORIES ›** *409 par portion*

PRÉPARATION › 15 MINUTES / TOTAL › 15 MINUTES

INGRÉDIENTS

3 pommes de terre grelots
1 tasse (250 ml) de haricots verts
2 œufs durs, tranchés
4 tasses (1 L) de mesclun
8 tomates cerises, coupées en deux
1/3 tasse (80 ml) d'olives noires, tranchées
1 boîte (200 g) de thon blanc (dans l'eau), égoutté
1 c. à thé (5 ml) de persil, haché
1 c. à thé (5 ml) de ciboulette, hachée

VINAIGRETTE

2 c. à soupe (30 ml) d'huile d'olive extra-vierge
2 c. à thé (10 ml) de vinaigre de vin rouge
Sel et poivre, au goût

PRÉPARATION

1. Faites cuire les pommes de terre grelots dans l'eau bouillante généreusement salée environ 10 minutes, ou jusqu'à ce qu'elles soient al dente. Égouttez-les et coupez-les en petits dés.
2. Faites cuire les haricots dans l'eau bouillante salée de 3 à 4 minutes, ou jusqu'à ce qu'ils soient al dente. Égouttez et rincez-les à l'eau glacée, épongez-les et coupez-les en deux.
3. Répartissez séparément les ingrédients dans deux assiettes.
4. Préparez la vinaigrette et arrosez-en les salades.
5. Parsemez de persil et de ciboulette. Servez.

PIZZA PITA

QUANTITÉ › *1 portion*
CALORIES › *391 par portion*

PRÉPARATION › 10 MINUTES
TOTAL › 30 MINUTES

INGRÉDIENTS

1/3	tasse (80 ml) de cubes de poitrine de poulet, cuits
1	grand pain pita de blé entier (50 g)
2	c. à soupe (30 ml) de sauce tomate (voir recette en p. 164)
1/3	tasse (80 ml) de fromage mozzarella léger, râpé
1/4	tasse (60 ml) de poivrons rouges rôtis et marinés, tranchés finement
1/4	tasse (60 ml) d'asperges
1	pincée de piment chili broyé (facultatif)
	Poivre, au goût

PRÉPARATION

1. Préchauffez le four à 350 °F (180 °C).
2. Étendez la sauce tomate sur le pain pita.
3. Parsemez le fromage mozzarella et les asperges.
4. Ajoutez les poivrons et les cubes de poulet.
5. Mettez au four 20 minutes et ajoutez du piment chili et du poivre au moment de servir si désiré.

Bon à savoir

En plus d'être une excellente source de vitamine C, le piment chili contient de la capsaïcine, une substance qui aurait la capacité d'augmenter le métabolisme de base.

CHILAQUILES

QUANTITÉ › *1 portion* / **CALORIES ›** *252 par portion*

PRÉPARATION › 10 MINUTES / TOTAL › 25 MINUTES

INGRÉDIENTS

1	œuf
1	c. à soupe (15 ml) de lait écrémé
	Sel et poivre, au goût
1	c. à soupe (15 ml) de cheddar léger, râpé
1	tortilla de blé entier (34 g)
1	c. à soupe (15 ml) de salsa
1/2	oignon vert, émincé
1	c. à thé (5 ml) de crème sure 0 % m.g.

PRÉPARATION

1. Préchauffez le four à 350 °F (180 °C).
2. Dans un bol, battez l'œuf et le lait, puis ajoutez le sel et le poivre.
3. Divisez la tortilla en gros morceaux et ajoutez-les au mélange d'œuf, puis versez le tout dans un bol allant au four.
4. Ajoutez la salsa et parsemez de fromage râpé et d'oignons verts.
5. Placez le bol de cuisson sur une plaque.
6. Faites cuire au four de 15 à 20 minutes. Garnissez de crème sure. Servez.

Bon à savoir

La protéine de l'œuf demeure une des protéines les mieux assimilées par le corps humain. En plus de contenir 0 glucide, l'œuf contient de la lutéine et de la zéaxanthine, qui favorisent la santé oculaire.

Salade de dinde effilochée avec fenouil et pomme

QUANTITÉ › *2 portions*
CALORIES › *368 par portion*

PRÉPARATION › 15 MINUTES / TOTAL › 15 MINUTES

INGRÉDIENTS

2 pommes vertes, coupées en tranches fines
1 bulbe de fenouil, coupé en tranches fines
2 c. à soupe (30 ml) de noix de Grenoble grillées, hachées
250 g de dinde, cuite et effilochée
1/4 d'oignon rouge, coupé en tranches fines
1 1/2 tasse (375 ml) de bébés épinards

VINAIGRETTE

2 c. à thé (10 ml) de moutarde de Dijon à l'ancienne
1 c. à thé (5 ml) d'huile d'olive
2 c. à thé (10 ml) de vinaigre de cidre de pomme
2 c. à thé (10 ml) d'eau
1 c. à thé (5 ml) de sirop d'érable
1 pincée de poudre d'ail
Sel et poivre, au goût

PRÉPARATION

1. Dans un grand bol, à l'aide d'un fouet, mélangez la moutarde, l'huile d'olive, le vinaigre de cidre de pomme, l'eau, le sirop d'érable, la poudre d'ail, le sel et le poivre.
2. Ajoutez le fenouil, l'oignon, les épinards et les pommes, puis mélangez pour bien enrober les ingrédients.
3. Au moment de servir, répartissez dans deux assiettes et garnissez de la dinde effilochée. Parsemez de noix de Grenoble, rectifiez l'assaisonnement.

Chili végé

QUANTITÉ › *6 portions* / **CALORIES ›** *255 par portion*

PRÉPARATION › 15 MINUTES / TOTAL › 1 H

INGRÉDIENTS

- **2** oignons, hachés
- **2** carottes, coupées en dés
- **2** branches de céleri, tranchées
- **2** c. à soupe (30 ml) d'huile d'olive
- **1** poivron rouge, épépiné et coupé en dés
- **2** gousses d'ail, hachées
- **1** c. à soupe (15 ml) de paprika
- **1** c. à thé (5 ml) de sucre
- **1** c. à thé (5 ml) de piment chipotle, broyé
- **1** c. à thé (5 ml) de jus de lime
- **1** boîte de 796 ml (28 oz) de tomates entières, écrasées à la main
- **1** boîte de 540 ml (19 oz) de haricots rouges, rincés et égouttés
- **2** tasses (500 ml) de patates douces, pelées et coupées en dés
- **1/2** tasse (125 ml) de bouillon de légumes
- **1/2** tasse (125 ml) de maïs en grains surgelé
- **2** c. à thé (10 ml) de fécule de maïs
- **2** c. à thé (10 ml) d'eau froide
- **1/2** tasse (125 ml) de feuilles de coriandre fraîche

PRÉPARATION

1. Dans une grande casserole, faites suer les oignons dans l'huile. Ajoutez la carotte, le céleri, le poivron, l'ail, les épices et faites revenir environ 5 minutes.
2. Ajoutez les tomates, les haricots, les patates douces, le bouillon, le sucre et le jus de lime et portez à ébullition. Laissez mijoter à découvert, en remuant fréquemment, environ 30 minutes, ou jusqu'à ce que les carottes soient tendres.
3. Mélangez l'eau froide et la fécule de maïs vigoureusement et ajoutez dans le chili. Ajoutez le maïs et mélangez bien.
4. Rectifiez l'assaisonnement. Servez avec des feuilles de coriandre.

Bon à savoir

La patate douce, particulièrement sa pelure, contient une quantité importante d'anthocyanines, un antioxydant de la famille des flavonoïdes. Cela permet, en autres, de diminuer le risque de développer un cancer colorectal et de prévenir le développement et la croissance d'autres cellules cancéreuses.

Ayez toujours un bol de crudités variées dans votre frigo. Quand on a faim, on prend souvent ce qui est le plus accessible et le plus facile à manger.

LES COLLATIONS

Chips santé

Voir les recettes à la page suivante

4 CHIPS DE BETTERAVE

5 CHIPS DE KALE

1 CHIPS DE CAROTTE

QUANTITÉ › *2 portions* / **CALORIES ›** *90 par portion*

PRÉPARATION › 5 MINUTES / TOTAL › 7 MINUTES

INGRÉDIENTS

2 carottes

1 c. à soupe (15 ml) d'huile d'olive

Sel, au goût

PRÉPARATION

1. Préchauffez le four à 350 °F (180 °C).
2. Épluchez les carottes et tranchez-les finement à l'aide d'une mandoline.
3. Dans un bol, mélangez l'huile et le sel.
4. Ajoutez les carottes et laissez imbiber d'huile.
5. Déposez les tranches de carotte sur une lèchefrite recouverte de papier parchemin sans qu'elles se touchent, puis mettez au four de 15 à 20 minutes en les retournant à la mi-cuisson.
6. Éteignez le four lorsque les carottes semblent cuites. Laissez refroidir et durcir dans le four.

2 CHIPS DE PANAIS

QUANTITÉ › *4 portions* / **CALORIES ›** *99 par portion*

PRÉPARATION › 10 MINUTES / TOTAL › 55 MINUTES

INGRÉDIENTS

2 panais

1 c. à soupe (15 ml) d'huile d'olive

Sel, au goût

PRÉPARATION

1. Préchauffez le four à 400 °F (200 °C).
2. Pelez les panais et tranchez-les finement à l'aide d'une mandoline.
3. Dans un bol, mélangez l'huile et le sel.
4. Ajoutez les panais et laissez imbiber d'huile.
5. Déposez les tranches de panais sur une lèchefrite recouverte de papier parchemin sans qu'elles se touchent, puis mettez au four de 10 à 12 minutes en les retournant à la mi-cuisson.
6. Éteignez le four lorsque les tranches de panais semblent cuites. Laissez-les refroidir et durcir dans le four.

3 CHIPS DE RADIS

QUANTITÉ › *4 portions*

CALORIES › *55 par portion*

PRÉPARATION › 10 MINUTES / TOTAL › 30 MINUTES

INGRÉDIENTS

20 radis

2 c. à soupe (30 ml) d'huile d'olive

Sel, au goût

PRÉPARATION

1. Préchauffez le four à 325 °F (160 °C).
2. Nettoyez les radis, puis tranchez-les finement à l'aide d'une mandoline.
3. Dans un bol, mélangez l'huile et le sel.
4. Ajoutez les radis et laissez imbiber d'huile.
5. Placez les tranches de radis sur une lèchefrite recouverte de papier parchemin sans qu'elles se touchent.
6. Cuisez 10 minutes en retournant les tranches à la mi-cuisson.
7. Baissez le four à 300 °F (150 °C) et laissez cuire encore 10 minutes de chaque côté, jusqu'à ce que les tranches de radis soient croustillantes et dorées.
8. Éteignez le four lorsque les tranches de radis semblent cuites. Laissez-les refroidir et durcir dans le four.

4 CHIPS DE BETTERAVE

QUANTITÉ › *4 portions* / **CALORIES ›** *60 par portion*

PRÉPARATION › 10 MINUTES / TOTAL › 55 MINUTES

INGRÉDIENTS

4 betteraves

2 c. à soupe (30 ml) d'huile d'olive

Sel, au goût

PRÉPARATION

1. Préchauffez le four à 375 °F (190 °C).
2. Pelez les betteraves et tranchez-les finement à l'aide d'une mandoline.
3. Placez les tranches sur un papier essuie-tout pour en retirer le maximum de liquide.
4. Dans un bol, mélangez l'huile et le sel.
5. Ajoutez les betteraves et laissez imbiber d'huile.
6. Placez les tranches de betterave sur une lèchefrite recouverte de papier parchemin sans qu'elles se touchent.
7. Laissez durcir et s'assécher pendant 45 minutes en surveillant les chips et en les retournant régulièrement.

5 CHIPS DE KALE

QUANTITÉ › *4 portions*

CALORIES › *110 par portion*

PRÉPARATION › 10 MINUTES / TOTAL › 30 MINUTES

INGRÉDIENTS

6 tasses (1,5 L) de kale

2 c. à thé (10 ml) d'huile d'olive

Sel, au goût

PRÉPARATION

1. Préchauffez le four à 300 °F (150 °C).
2. Une fois le kale lavé et essoré, détachez les feuilles de la tige et déchiquetez-les grossièrement.
3. Dans un bol, mélangez l'huile et le sel.
4. Ajoutez les feuilles de kale et laissez macérer dans l'huile 4 minutes, jusqu'à ce que les feuilles aient ramolli.
5. Placez les feuilles sur une lèchefrite recouverte de papier parchemin sans qu'elles se touchent.
6. Cuisez de 12 à 20 minutes, ou jusqu'à ce que le kale soit croustillant et encore vert.

Bon à savoir

Une tasse de kale procure 600 % de la dose quotidienne recommandée de vitamine K. Celle-ci joue un rôle essentiel dans la coagulation du sang.

18 mini collations

Idées simples et ingrédients faciles, voici des collations parfaites pour contrôler sa faim.

½ banane + 1 c. à soupe (15 ml) de beurre d'arachides
= 145 Kcal

½ tasse (125 ml) de yogourt grec nature 0 % m.g.
+ ½ tasse (125 ml) de fraises
= 100 Kcal

1 œuf à la coque
= 74 Kcal

2 toasts Melba
+ 50 g de fromage mozzarella léger
= 110 Kcal

½ tasse (125 ml) de céleri
+ 2 c. à soupe (30 ml) de fromage à la crème allégé
= 92 Kcal

1 pomme moyenne
+ 5 amandes non salées
= 115 Kcal

1 galette de riz nature
+ 1 c. à soupe (15 ml) de beurre d'arachides
= 125 Kcal

½ tasse (125 ml) de fromage cottage 1 % m.g.
+ ½ tasse (125 ml) de bleuets
= 123 Kcal

½ avocat
= 138 Kcal

½ tasse (125 ml) de
sorbet à la framboise
+ 5 pacanes non salées
= 113 Kcal

1 yogourt à boire
(200 ml, Yoplait)
= 150 Kcal

½ tasse (125 ml)
de crudités
+ 2 c. à soupe
(30 ml) de hoummos
= 95 Kcal

½ boîte de thon (dans l'eau), égoutté
+ ½ tortilla de blé entier de 6 po
= 110 Kcal

1 tasse (250 ml) de maïs soufflé sans beurre + 30 g de fromage suisse léger
= 148 Kcal

30 g de fromage mozzarella léger + 2 dattes fraîches
= 126 Kcal

½ tasse (125 ml) de yogourt grec nature 0 % m.g. + 1 c. à soupe (15 ml) de graines de chia
= 127 Kcal

½ pita de blé entier + 3 c. à soupe (45 ml) de hoummos
= 144 Kcal

½ tasse (125 ml) de compote de pommes non sucrée + 5 amandes non salées
= 95 Kcal

Entourez-vous de
bonnes personnes qui
vont vous motiver
dans votre processus!
Elles seront vos plus
fidèles alliées.

LES SOUPERS

Poivrons farcis au bœuf et au quinoa

QUANTITÉ › *4 portions* / **CALORIES ›** *380 par portion*

PRÉPARATION › 15 MINUTES / TOTAL › 45 MINUTES

INGRÉDIENTS

4	poivrons de la couleur désirée
1	oignon, haché
1	gousse d'ail, hachée
2	c. à thé (10 ml) d'huile d'olive
500	g de bœuf haché extra-maigre
1/4	tasse (60 ml) de pâte de tomate
2	tasses (500 ml) de quinoa, cuit
1	tasse (250 ml) de tomates, coupées en petits dés
2	c. à soupe (30 ml) de persil, haché
3	feuilles de menthe fraîche, hachées
1	pincée de sel
	Poivre, au goût
3	c. à soupe (45 ml) de fromage mozzarella léger, râpé

PRÉPARATION

1. Préchauffez le four à 350 °F (180 °C).
2. Coupez la tête des poivrons et retirez l'intérieur. Réservez.
3. Dans un poêlon antiadhésif, chauffez l'huile et faites suer l'oignon de 1 à 2 minutes à feu moyen.
4. Ajoutez le bœuf haché et l'ail.
5. Ajoutez la pâte de tomate et le quinoa. Remuez et réduisez la température de cuisson. Retirez du feu aussitôt que la viande est cuite.
6. Ajoutez les tomates et les fines herbes. Salez et poivrez.
7. Garnissez les poivrons, puis parsemez de fromage.
8. Placez les poivrons dans un plat et versez de l'eau chaude jusqu'à hauteur d'un pouce.
9. Faites cuire 30 minutes au four, retirez les poivrons, jetez l'eau et servez.

HYPER
PROTÉINÉ

HYPER
PROTÉINÉ

BOULETTES DE POULET AU PARMESAN

QUANTITÉ › *4 portions* / **CALORIES ›** *279 par portion*

PRÉPARATION › 15 MINUTES / TOTAL › 35 MINUTES

INGRÉDIENTS

450	g de poulet haché extra-maigre
2	c. à thé (10 ml) d'huile d'olive
1	petit oignon, haché
1	gousse d'ail, hachée
1/2	tasse (125 ml) de chapelure Panko
1	œuf, battu
1	c. à soupe (15 ml) de basilic frais, haché
1 1/2	tasse (375 ml) de sauce tomate (voir recette en p. 164)
3	c. à soupe (45 ml) de copeaux de parmesan
	Sel et poivre, au goût

PRÉPARATION

1. Préchauffez le four à 375 °F (190 °C).
2. Dans un poêlon antiadhésif, chauffez l'huile et faites suer l'oignon et l'ail de 3 à 5 minutes à feu moyen. Réservez.
3. Dans un grand bol, mélangez le poulet, l'oignon, l'ail, la chapelure, l'œuf et le basilic. Salez et poivrez.
4. Mélangez avec les mains et formez 12 boulettes de grosseur moyenne.
5. Dans un plat allant au four, mettez la sauce tomate et déposez-y les boulettes.
6. Parsemez de fromage parmesan et faites cuire 15 minutes.

SI VOUS AJOUTEZ...
une salade César
= 75 calories

354 par portion

Bon à savoir

En plus d'être une excellente source de protéines, le poulet haché extra-maigre contient très peu de matières grasses. Cela en fait une viande de choix pour tous ceux et celles aux prises avec des problèmes de cholestérol.

Poulet au cari et à la noix de coco

QUANTITÉ › *4 portions* / **CALORIES ›** *435 par portion*

PRÉPARATION › 10 MINUTES / TOTAL › 25 MINUTES

INGRÉDIENTS

450 g de poitrine de poulet, coupée en lanières
2 c. à thé (10 ml) d'huile d'olive
3/4 tasse (180 ml) d'oignon rouge, haché
1 gousse d'ail, hachée
2 c. à soupe (30 ml) de gingembre frais, haché
1 tasse (250 ml) de lait de coco
1/4 tasse (60 ml) de bouillon de poulet réduit en sodium
1 c. à soupe (15 ml) de poudre de cari
10 pois mange-tout
1/2 poivron rouge, coupé en lanières
12 feuilles de basilic frais
1/2 c. à thé (2,5 ml) de zeste de lime
1 pincée de sel
Poivre, au goût
1 tasse (210 g) de riz basmati à cuisson rapide

PRÉPARATION

1. Faites cuire le riz selon les instructions sur l'emballage.
2. Dans une poêle antiadhésive, chauffez l'huile d'olive et faites saisir les lanières de poulet. Réservez dans une assiette.
3. Dans la poêle, faites revenir l'oignon, l'ail et le gingembre pendant 3 minutes.
4. Ajoutez le lait de coco, le bouillon de poulet, le cari, le zeste de lime, le sel et le poivre. Laissez mijoter 2 minutes à feu doux.
5. Ajoutez le poulet et laissez mijoter 10 minutes à feu doux.
6. Ajoutez les légumes. Remuez et laissez cuire 2 minutes.
7. Répartissez le riz dans 4 assiettes, ajoutez le mélange de poulet. Garnissez de feuilles de basilic et servez.

SANS GLUTEN

HYPER
PROTÉINÉ

HARICOTS BLANCS ET COUSCOUS AUX CREVETTES

QUANTITÉ › *4 portions* / **CALORIES** › *397 par portion*

PRÉPARATION › **20 MINUTES** / **TOTAL** › **32 MINUTES**

INGRÉDIENTS

- **1** c. à soupe (15 ml) d'huile d'olive
- **1** petit oignon, haché
- **2** gousses d'ail, hachées
- **1** tasse (250 ml) de couscous
- **1** tasse (250 ml) de bouillon de légumes
- **1 1/2** c. à soupe (22 ml) de pâte de tomate
- **2** c. à thé (10 ml) de cumin
- **2** c. à soupe (30 ml) de jus de citron frais
- **2** oignons verts, émincés
- **450** g de crevettes (de 30 à 40), cuites
- **1** tomate, épépinée et coupée en dés
- **3** tomates séchées, hachées
- **1/2** boîte de 270 ml (9 oz) de haricots blancs, rincés et égouttés
- **1/2** tasse (125 ml) de persil frais, haché
- Sel et poivre, au goût

PRÉPARATION

1. Dans une petite casserole, faites chauffer 2 c. à thé (10 ml) d'huile, puis faites revenir l'ail et l'oignon 2 minutes.
2. Ajoutez le bouillon de légumes et la pâte de tomate. Mélangez bien et portez à ébullition.
3. Retirez la casserole du feu et ajoutez le couscous. Mélangez le tout et couvrez la casserole. Laissez reposer 20 minutes.
4. Pendant ce temps, mélangez les crevettes avec le persil, le reste d'huile, les oignons verts, les tomates séchées et la tomate. Réservez.
5. Aussitôt que le couscous est cuit, ajoutez les haricots, le cumin et arrosez de jus de citron.
6. Ajoutez les crevettes et mélangez. Assaisonnez au goût.
7. Répartissez le couscous dans les assiettes et servez.

Bon à savoir

Les fameuses fèves au lard du Québec ne sont pas faites avec des fèves, mais bel et bien avec des haricots blancs !

Pâtes au pesto et à la pancetta

QUANTITÉ › *3 portions* / **CALORIES ›** *310 par portion*

PRÉPARATION › 5 MINUTES / TOTAL › 5 MINUTES

INGRÉDIENTS

2 tasses (500 ml) de linguines de riz
1 gousse d'ail, hachée
14 champignons, coupés en quartiers
40 g de pancetta, coupée en dés
1 c. à thé (5 ml) d'huile d'olive
1/4 tasse (60 ml) de pesto
1/4 tasse (60 ml) de lait 2 % m.g.
1 c. à soupe (15 ml) de vin blanc
1 poignée de basilic frais, haché
Poivre, au goût

PRÉPARATION

1. Faites cuire les pâtes selon les instructions sur l'emballage.
2. Pendant ce temps, dans une poêle antiadhésive, chauffez l'huile d'olive et faites cuire les champignons, l'ail et la pancetta de 2 à 3 minutes à feu vif.
3. Ajoutez le vin et réduisez la température à feu moyen.
4. Ajoutez le pesto et le lait. Remuez et retirez du feu.
5. Ajoutez les pâtes à la poêle, puis le basilic et le poivre. Mélangez et servez.

SANS GLUTEN

SANS
GLUTEN

CHAMPIGNONS PORTOBELLOS FARCIS

QUANTITÉ › *2 portions* / **CALORIES ›** *325 par portion*

PRÉPARATION › 20 MINUTES / TOTAL › 45 MINUTES

INGRÉDIENTS

1 petit oignon, haché
1 gousse d'ail, hachée
2 c. à thé (10 ml) d'huile d'olive
1/2 tasse (125 ml) de riz brun, cuit (Nous utilisons un mélange de riz brun, de riz rouge et de riz sauvage que vous pouvez trouver dans les supermarchés.)
180 g de dinde hachée
1 c. à soupe (15 ml) de noix de pin, rôties
4 tomates séchées, réhydratées et coupées en petits dés
1 c. à soupe (15 ml) de vin blanc
1 tasse (250 ml) de roquette, hachée
35 g de fromage de chèvre, émietté
2 champignons portobellos
Sel et poivre, au goût

PRÉPARATION

1. Préchauffez le four à 350 °F (180 °C).
2. Retirez les pieds des champignons et ne gardez que les têtes. Videz-les. Réservez.
3. Dans un poêlon antiadhésif, chauffez l'huile et faites suer l'oignon de 1 à 2 minutes à feu moyen.
4. Ajoutez la dinde hachée et l'ail. Remuez.
5. Ajoutez le vin, le riz, les tomates séchées et les noix de pin. Remuez de temps en temps. Retirez du feu aussitôt que la viande est cuite et ajoutez la roquette.
6. Assaisonnez au goût.
7. Répartissez le mélange dans les têtes de champignons. Garnissez de fromage de chèvre.
8. Mettez au four 25 minutes.

Spaghettis aux crevettes

QUANTITÉ › *4 portions* / **CALORIES ›** *305 par portion*

PRÉPARATION › 50 MINUTES / TOTAL › 1 H 20

INGRÉDIENTS

- **1** c. à soupe (15 ml) d'huile d'olive
- **1** petit oignon, haché
- **1** courge spaghetti
- **450** g de crevettes (de 30 à 40) crues, décortiquées et déveinées
- **1/2** poivron rouge, coupé en dés
- **1 1/2** tasse (375 ml) de sauce tomate (voir recette en p. 164)
- **2** c. à thé (10 ml) de piment chili broyé (facultatif)
- **1** tasse (250 ml) d'épinards hachés
- **1/2** tasse (125 ml) de fromage léger râpé
- Sel et poivre, au goût

PRÉPARATION

1. Placez la grille au centre du four. Préchauffez le four à 375 °F (190 °C).
2. Tapissez une plaque de papier parchemin.
3. Coupez la courge en deux sur le sens de la longueur et retirez les graines.
4. Placez la courge sur la plaque, la partie coupée vers le bas, et faites cuire 45 minutes, ou jusqu'à ce qu'elle soit tendre.
5. À l'aide d'une fourchette, raclez l'intérieur de la courge et retirez la chair. Salez et poivrez. Réservez la chair au chaud.
6. Dans un grand sautoir, chauffez l'huile d'olive et faites suer l'oignon de 1 à 2 minutes à feu moyen.
7. Ajoutez les crevettes et faites sauter 1 minute.
8. Ajoutez le poivron rouge et le piment chili. Faites sauter encore 1 minute.
9. Ajoutez la sauce tomate et les épinards. Remuez et laissez cuire 3 minutes, ou jusqu'à ce que les crevettes soient bien roses. Salez, poivrez et retirez du feu.
10. Répartissez la courge spaghetti dans les assiettes et garnissez de sauce aux crevettes.
11. Saupoudrez de fromage et servez.

Bon à savoir

La courge spaghetti est une excellente solution de rechange santé aux pâtes, qui contiennent de 4 à 5 fois plus de calories par portion. Avec peu de calories et de glucides, elle est un aliment de choix pour ceux et celles aux prises avec des problèmes de diabète.

SANS GLUTEN

FISH AND CHIPS SANTÉ

QUANTITÉ › *4 portions* / **CALORIES ›** *385 par portion*

PRÉPARATION › 15 MINUTES
TOTAL › DE 30 À 35 MINUTES

INGRÉDIENTS

SAUCE

1/4 tasse (60 ml) de crème sure 1 % m.g.
2 c. à thé (10 ml) de ciboulette, hachée
2 c. à thé (10 ml) d'aneth frais, haché
2 c. à thé (10 ml) de persil frais, haché
2 c. à thé (10 ml) de jus de citron
Sel et poivre, au goût

FISH

560 g de filets de flétan
1/2 tasse (125 ml) de farine de blé entier
1/2 tasse (125 ml) de lait sans lactose écrémé
2 blancs d'œufs
1/2 tasse (125 ml) de gruau nature à cuisson rapide
2 c. à soupe (30 ml) de poudre d'amande
2 c. à soupe (30 ml) de germe de blé
1 c. à thé (5 ml) de thym frais, haché
1 c. à thé (5 ml) de paprika
1 c. à thé (5 ml) d'huile d'olive
1 pincée de sel
1 pincée de poivre

CHIPS

2 patates douces
2 c. à thé (10 ml) d'huile d'olive
1/2 c. à thé (2,5 ml) de sel de mer

PRÉPARATION

LA SAUCE

1. Dans un cul-de-poule, mélangez tous les ingrédients et réservez.

LES CHIPS

2. Préchauffez le four à 350 °F (180 °C).
3. Épluchez les patates douces et tranchez-les finement à l'aide d'une mandoline.
4. Dans un bol, mélangez l'huile et le sel.
5. Ajoutez les patates douces et laissez imbiber d'huile.
6. Déposez les tranches de patates douces sur une lèchefrite recouverte de papier parchemin sans qu'elles se touchent, puis mettez-les au four de 15 à 20 minutes en les retournant à la mi-cuisson.
7. Éteignez le four lorsque les patates douces semblent cuites. Laissez refroidir et durcir au four.

LE "FISH"

8. Préchauffez le four à 400 °F (200 °C).
9. Coupez les filets de flétan en lanières.
10. Dans un bol, mettez la farine et enrobez chaque lanière de flétan.
11. Dans un autre bol, mélangez le lait et les blancs d'œufs, puis trempez-y les lanières.
12. Dans un dernier bol, mélangez le gruau, le germe de blé, la poudre d'amande, le thym et le paprika, puis enrobez à nouveau les lanières de flétan.
13. Placez un papier parchemin sur une lèchefrite puis badigeonnez-le avec l'huile d'olive. Déposez-y les lanières de flétan sans qu'elles se touchent. Faites cuire 10 minutes en les retournant à la mi-cuisson.
14. Servez avec les chips et la sauce aux fines herbes.

Bon à savoir
Le germe de blé est riche en vitamines E, B_1 et B_9 et en fer, en magnésium, en phosphore, en manganèse, en zinc et en sélénium. Il contient aussi des protéines et des fibres.

SANS
LACTOSE

SANS
LACTOSE

Poulet aux arachides

QUANTITÉ › *5 portions*
CALORIES › *408 par portion*

PRÉPARATION › 15 MINUTES
TOTAL › DE 35 À 40 MINUTES

INGRÉDIENTS

LE POULET

1 c. à thé (5 ml) d'huile de sésame
450 g de poitrine de poulet

LA SAUCE

1 c. à thé (5 ml) d'huile de sésame
1 c. à thé (5 ml) d'huile d'olive
1 c. à thé (5 ml) de gingembre frais, râpé
1 gousse d'ail, émincée
1/2 tasse (125 ml) de bouillon de poulet réduit en sodium
3 c. à soupe (45 ml) de beurre d'arachides nature sans sucre
2 c. à soupe (30 ml) de sauce soya réduite en sodium
1 c. à thé (5 ml) de cassonade
1 c. à soupe (15 ml) de vinaigre de riz
1/2 c. à thé (2,5 ml) de pâte de chili
1/2 tasse (125 ml) de lait de coco
1 poivron orange, coupé en lanières
3 tasses (750 ml) de fleurettes de brocoli
2 c. à soupe (30 ml) d'arachides, broyées

LES NOUILLES

2 1/2 tasses (625 ml) de vermicelles de riz

PRÉPARATION

LE POULET

1. Préchauffez le four à 400 °F (200 °C).
2. Dans un poêlon antiadhésif, chauffez l'huile et faites dorer le poulet de chaque côté à feu moyen.
3. Faites cuire au four environ 15 minutes, ou jusqu'à ce que le poulet soit cuit.
4. Laissez la poitrine refroidir et coupez-la en lanières. Réservez.

LES NOUILLES

5. Pendant que la poitrine de poulet refroidit, faites cuire les vermicelles selon les instructions sur l'emballage.

LA SAUCE

6. Faites cuire les légumes séparément dans l'eau bouillante salée jusqu'à ce qu'ils soient al dente. Rincez à l'eau froide et égouttez-les bien. Réservez.
7. Dans une poêle, faites chauffer l'huile de sésame et l'huile d'olive.
8. Ajoutez le gingembre ainsi que l'ail et faites revenir 1 minute.
9. Ajoutez le bouillon de poulet, le beurre d'arachides, la sauce soya, la cassonade, le vinaigre de riz et la pâte de chili. Faites cuire en remuant 5 minutes, ou jusqu'à ce que la consistance soit homogène.
10. Ajoutez le lait de coco, le brocoli et le poivron, et continuez la cuisson 2 minutes. Ajoutez le poulet et remuez. Laissez cuire encore 2 minutes et retirez du feu.
11. Répartissez les vermicelles dans les assiettes et garnissez avec le poulet, les légumes et la sauce. Parsemez d'arachides et servez.

VÉGÉ BURGER

QUANTITÉ › *4 portions* / **CALORIES ›** *410 par portion*

PRÉPARATION › 20 MINUTES / TOTAL › 50 MINUTES

INGRÉDIENTS

LA BOULETTE

- **1** c. à soupe (15 ml) d'huile d'olive
- **3/4** tasse (180 ml) d'oignons, hachés
- **2** gousses d'ail, hachées
- **2** tasses (500 ml) de brocoli, haché grossièrement
- **2** tasses (500 ml) de tofu ferme, émietté
- **1** tasse (250 ml) de flocons d'avoine à cuisson rapide
- **2 1/2** tasses (625 ml) de champignons, hachés grossièrement
- **3** c. à soupe (45 ml) de sauce tamari (soya)
- **2** c. à soupe (30 ml) de sauce Worcestershire régulière ou version végé
- **2** c. à soupe (30 ml) de jus de citron
- **1** blanc d'œuf
- Poivre, au goût

LE BURGER

- **2** c. à soupe (30 ml) de mayonnaise légère
- **1** tasse (250 ml) de bébés épinards
- **1** tasse (250 ml) de pousses de tournesol
- **8** tranches de tomate
- **4** tranches d'oignon
- **4** pains à hamburger de blé entier (100 calories)

PRÉPARATION

1. Dans une poêle antiadhésive, faites chauffer la moitié de l'huile, puis faites revenir les oignons et l'ail 3 minutes. Retirez du feu.
2. Dans un robot culinaire, mettez le tofu, le brocoli, les flocons d'avoine, 1 ½ tasse des champignons, le tamari, la sauce Worcestershire, le jus de citron, le blanc d'œuf et le poivre. Mélangez jusqu'à la consistance d'une pâte.
3. Dans un bol, mélangez la pâte à burger avec le reste des champignons, l'oignon et l'ail.
4. Mélangez, puis séparez en 4 galettes.
5. Dans une poêle, chauffez le reste de l'huile, puis faites cuire les galettes 10 minutes de chaque côté à feu moyen.
6. Tartinez les pains à hamburger avec la mayonnaise. Garnissez vos hamburgers avec les épinards, les pousses, la tomate et l'oignon.

SANS
LACTOSE

SANS LACTOSE

Tacos de la mer

QUANTITÉ › *4 portions* / **CALORIES ›** *355 par portion*

PRÉPARATION › 10 MINUTES / TOTAL › 20 MINUTES

INGRÉDIENTS

1 avocat, coupé en dés
1/2 petit oignon blanc, émincé
1/2 poivron rouge, coupé en dés
1/2 oignon vert, émincé
3 c. à thé (15 ml) de jus de lime
1 c. à soupe (15 ml) d'huile d'olive
2 ou 3 gouttes de sauce piquante de votre choix (facultatif)
400 g de filet de tilapia
8 coquilles à tacos
1/2 tasse (125 ml) de feuilles de coriandre fraîche
1/2 tomate, coupée en dés
Sel et poivre, au goût

PRÉPARATION

1. Placez la grille au centre du four. Préchauffez le four à 400 °F (200 °C) et tapissez une plaque de papier parchemin.
2. Dans un bol, mélangez l'avocat, l'oignon, le poivron, l'oignon vert, 1 c. à thé (5 ml) de jus de lime et la sauce piquante. Réservez.
3. Coupez le filet de tilapia grossièrement en cubes de 1 pouce.
4. Salez et poivrez au goût et arrosez avec le reste du jus de lime et l'huile d'olive.
5. Faites cuire au four de 8 à 10 minutes.
6. Déposez les morceaux de tilapia dans les coquilles, puis le mélange d'avocat et les feuilles de coriandre.
7. Garnissez avec les dés de tomate et servez.

STEAKS DE THON AVEC CROUTE DE SÉSAME

QUANTITÉ › *2 portions* / **CALORIES ›** *406 par portion*

PRÉPARATION › 20 MINUTES / TOTAL › 35 MINUTES

INGRÉDIENTS

SAUCE AUX ÉPICES

- **3** c. à soupe (45 ml) de yogourt grec nature 0 % m.g.
- **1/4** c. à thé (1,25 ml) de cumin
- **1/4** c. à thé (1,25 ml) de coriandre
- **1/4** c. à thé (1,25 ml) de pâte de chili
- **1/4** c. à thé (1,25 ml) de jus de lime
- **1/4** c. à thé (1,25 ml) de sel

LÉGUMES D'ACCOMPAGNEMENT

- **2** tasses (500 ml) de fleurettes de brocoli
- **1** poivron rouge, coupé en lanières
- **20** pois mange-tout
- **1** carotte, coupée en tranches minces

STEAKS

- **2** c. à thé (10 ml) de sauce soya réduite en sodium
- **2** c. à thé (10 ml) d'huile d'olive
- **300** g de steaks de thon jaune
- **4** c. à thé (20 ml) de graines de sésame blanches
- **4** c. à thé (20 ml) de graines de sésame noires
- Poivre, au goût

PRÉPARATION

LA SAUCE

1. Dans un cul-de-poule, mélangez tous les ingrédients et réservez.

LES LÉGUMES

2. Faites cuire les légumes séparément dans de l'eau bouillante salée jusqu'à ce qu'ils soient al dente. Salez, poivrez et réservez au chaud.

LES STEAKS

3. Dans un bol, mélangez la sauce soya et l'huile. Déposez-y les steaks de thon et laissez-les reposer 20 minutes en les retournant quelques fois.
4. Enrobez complètement les steaks de thon du mélange de graines, puis faites-les cuire dans une poêle 2 minutes de chaque côté à feu vif.
5. Laissez les steaks reposer 5 minutes et coupez-les en tranches de 1 pouce d'épaisseur.
6. Servez avec les légumes et la sauce aux épices.

Bon à savoir

En plus d'être une excellente source de protéines complètes, le thon est riche en vitamine B_3 (niacine), qui est responsable de la production d'énergie dans le corps et participe également à la croissance.

HYPER
PROTÉINÉ

SANS
GLUTEN

Soupe-repas asiatique

QUANTITÉ › *12 portions* / **CALORIES** › *315 par portion*

PRÉPARATION › 15 MINUTES / TOTAL › 25 MINUTES

INGRÉDIENTS

150 g de bœuf à fondue chinoise, tranché mince
2 c. à thé (10 ml) d'huile végétale
1 gousse d'ail, hachée
1 c. à thé (5 ml) de gingembre, râpé
3 oignons verts
4 tasses (1 L) de bouillon de bœuf
1 tasse (250 ml) d'eau
1 1/2 c. à soupe (22 ml) de jus de lime
1/2 c. à soupe (7,5 ml) de sauce de poisson
1 pincée de cinq épices chinoises (facultatif)
1/2 tasse (125 ml) de vermicelles de riz
1/2 tasse (125 ml) de pois mange-tout, tranchés finement
1/4 tasse (60 ml) de châtaignes d'eau, coupées en julienne
1 carotte, tranchée finement
1/2 poivron rouge, coupé en julienne
1/2 poivron jaune, coupé en julienne

GARNITURE

1/2 tasse (125 ml) de feuilles de coriandre fraîche
1/4 tasse (60 ml) de feuilles de menthe fraîche

PRÉPARATION

1. Dans une grande casserole, chauffez l'huile et faites-y revenir l'ail, le gingembre et les oignons verts environ 5 minutes à feu doux.
2. Ajoutez l'eau et le bouillon. Portez à ébullition. Couvrez et laissez mijoter doucement environ 10 minutes.
3. Ajoutez la sauce de poisson, les cinq épices chinoises et les nouilles. Laissez mijoter environ 5 minutes.
4. Mettez les tranches de bœuf, le jus de lime, les châtaignes d'eau, les pois mange-tout, les carottes et les poivrons. Servez immédiatement dans de grands bols à soupe et garnissez de fines herbes.

LASAGNE SANS PÂTES À L'AUBERGINE

QUANTITÉ › *3 portions* / **CALORIES ›** *350 par portion*

PRÉPARATION › 1 H 10 / TOTAL › 1 H 30

INGRÉDIENTS

- **2** c. à soupe (30 ml) de sel, ou au besoin
- **1** grosse aubergine, coupée en tranches d'environ ½ po (2 cm) dans le sens de la longueur
- **2** tasses (500 ml) de fromage cottage 1 % m.g.
- **1/4** tasse (60 ml) de fromage parmesan
- **1** blanc d'œuf
- **1** pincée de muscade
- **2** tasses (500 ml) d'épinards
- **2** tasses (500 ml) de sauce tomate (voir recette en p. 164)
- **1** tasse (250 ml) de fromage mozzarella léger, râpé

PRÉPARATION

1. Saupoudrez les tranches d'aubergine de sel et laissez-les dégorger dans une passoire pendant 30 minutes. Préchauffez le four à 350 °F (180 °C).
2. Rincez les tranches d'aubergine à l'eau froide et essuyez-les avec du papier essuie-tout.
3. Déposez les tranches d'aubergine sur des plaques recouvertes de papier parchemin et faites cuire au four 40 minutes, en les retournant à mi-cuisson. Réservez.
4. Dans un robot culinaire, mélangez le fromage cottage avec le fromage parmesan et le blanc d'œuf jusqu'à l'obtention d'une consistance homogène. Ajoutez de la muscade, salez, poivrez et réservez.

ASSEMBLEZ LA LASAGNE :

5. Recouvrez le fond d'un plat rectangulaire avec ½ tasse (125 ml) de sauce tomate. Ajoutez une couche de tranches d'aubergine, puis les épinards. Ensuite, ajoutez le mélange de fromage cottage sur les épinards.
6. Ajoutez une autre couche de tranches d'aubergine, puis le reste de la sauce tomate.
7. Parsemez de fromage mozzarella et couvrez le plat de papier d'aluminium.
8. Faites cuire au four jusqu'à ce que la sauce bouillonne, environ de 30 à 40 minutes. Retirez le papier d'aluminium et laissez reposer 15 minutes hors du four avant de couper et de servir.

Bon à savoir

Maître d'œuvre dans un processus de perte de poids, l'aubergine contient peu de calories et est une excellente source d'antioxydants. Ces molécules (antioxydants) ont pour effet d'empêcher le vieillissement prématuré, en plus de prévenir certains cancers et maladies cardiovasculaires.

SANS GLUTEN

Soupe-repas minestrone

QUANTITÉ › *8 portions* / **CALORIES ›** *240 par portion*

PRÉPARATION › DE 15 À 20 MINUTES / TOTAL › 1 H

INGRÉDIENTS

2 c. à soupe (30 ml) d'huile d'olive
1 oignon, haché
2 gousses d'ail, hachées
1/2 tasse (125 ml) de poireau, haché
3 carottes, coupées en dés
2 branches de céleri, coupées en dés
1 pomme de terre, coupée en dés
1 boîte 540 ml (19 oz) de tomates en dés
2 c. à thé (10 ml) de pâte de tomate
4 tasses (1 L) de bouillon de légumes
8 tasses (2 L) d'eau
2 feuilles de laurier
1 c. à thé (5 ml) d'origan séché
1 tasse (250 ml) de pennes
1 courgette, coupée en dés
1 boîte de 540 ml (19 oz) de haricots romains, rincés et égouttés
1 tasse de feuilles de kale, lavées et hachées grossièrement
Sel et poivre, au goût
3 c. à soupe (45 ml) de fromage parmesan râpé (pour la garniture)

PRÉPARATION

1. Dans une grande casserole, chauffez l'huile et faites revenir le poireau, le céleri, l'oignon, les carottes et l'ail. Faites cuire environ 10 minutes.
2. Ajoutez la boîte de tomates, la pâte de tomate, le bouillon de légumes, l'eau et la feuille de laurier, et portez à ébullition. Réduisez le feu à moyen-doux et laissez mijoter 10 minutes.
3. Ajoutez la pomme de terre et l'origan et laissez mijoter 10 minutes.
4. Ajoutez les pâtes, les haricots et la courgette et laissez mijoter jusqu'à ce que les pâtes soient cuites.
5. Mettez le kale à la dernière minute et remuez. Salez et poivrez au goût.
6. Versez dans des bols et parsemez de fromage parmesan.

SAUCE TOMATE

QUANTITÉ › *10 portions* / **CALORIES ›** *62 par portion*

PRÉPARATION › 15 MINUTES / TOTAL › 25 MINUTES

INGRÉDIENTS

1	oignon, haché
3	c. à soupe (45 ml) d'huile d'olive
4	gousses d'ail, hachées
1	c. à thé (5 ml) de sucre
2	c. à soupe (30 ml) de vin rouge (facultatif)
2	boîtes de 540 ml (19 oz) de tomates en dés
2	c. à soupe (30 ml) de pâte de tomate
	Sel et poivre, au goût
2	feuilles de laurier
1	c. à thé (5 ml) de basilic séché

PRÉPARATION

1. Dans une casserole, faites dorer l'oignon dans l'huile à feu moyen. Ajoutez l'ail et poursuivez la cuisson de 3 à 5 minutes.
2. Ajoutez les tomates, la pâte de tomate, les feuilles de laurier, le vin et le sucre. Salez et poivrez. Laissez mijoter 10 minutes.
3. Ajoutez le basilic. Retirez les feuilles de laurier et réduisez en purée au mélangeur. Réchauffez et servez.

5 marinades SANTÉ POUR VOS VIANDES ET POISSONS

MARINADE POUR POULET

QUANTITÉ › *4 portions* / **CALORIES ›** *41 par portion*

PRÉPARATION › 3 MINUTES / TOTAL › 3 MINUTES

INGRÉDIENTS

2 c. à soupe (30 ml) d'eau
1 c. à soupe (15 ml) de moutarde de Dijon
1 c. à soupe (15 ml) d'huile d'olive
1/2 gousse d'ail, hachée
1/2 échalote française, hachée
1/2 c. à thé (2,5 ml) de thym séché
Sel et poivre, au goût

PRÉPARATION

1. Dans un bol, mélangez tous les ingrédients.
2. Placez les morceaux de poulet dans un sac de plastique refermable, versez-y la marinade et laissez mariner au réfrigérateur avant de faire cuire.

MARINADE ASIATIQUE

QUANTITÉ › *4 portions* / **CALORIES ›** *38 par portion*

PRÉPARATION › 5 MINUTES / TOTAL › 5 MINUTES

INGRÉDIENTS

1 c. à soupe (15 ml) de sauce soya réduite en sodium
1 c. à soupe (15 ml) d'huile de sésame
1 c. à soupe (15 ml) d'eau
1 c. à thé (5 ml) de gingembre frais, râpé
1/2 c. à thé (2,5 ml) d'ail, haché
1 c. à thé (5ml) de marmelade légère
1 pincée de poivre

PRÉPARATION

1. Dans un bol, mélangez tous les ingrédients.
2. Placez les morceaux de viande, de volaille ou de poisson dans un sac de plastique refermable, versez-y la marinade et laissez mariner au réfrigérateur avant de faire cuire.

MARINADE POUR POISSON

QUANTITÉ › *4 portions* / **CALORIES ›** *62 par portion*

PRÉPARATION › 8 MINUTES / TOTAL › 8 MINUTES

INGRÉDIENTS

1 c. à thé (5 ml) de jus de citron
1/2 c. à thé (2,5 ml) de zeste de citron
2 c. à soupe (30 ml) d'huile d'olive
1/4 c. à thé (1,25 ml) d'aneth frais, haché
1/2 c. à thé (2,5 ml) de ciboulette fraîche, hachée
Sel et poivre, au goût

PRÉPARATION

1. Dans un bol, mélangez tous les ingrédients.
2. Placez les morceaux de poisson dans un sac de plastique refermable, versez-y la marinade et laissez mariner (une heure ou moins pour les poissons entiers et 30 minutes maximum pour les filets et les fruits de mer – plus longtemps, ils cuiront dans l'acidité).

- filets de poisson et fruits de mer: 30 min / poissons entiers: 1 h
- tofu: de 3 à 9 h
- côtelettes de porc: de 2 à 4 h
- poitrines de poulet désossées: de 1 à 4 h
- filets de porc, agneau, morceaux de poulet non désossés, biftecks, côtelettes: de 3 à 9 h

MARINADE AU MIEL ET À LA MOUTARDE À L'ANCIENNE

QUANTITÉ › *4 portions* / **CALORIES ›** *55 par portion*

PRÉPARATION › 10 MINUTES / TOTAL › 10 MINUTES

INGRÉDIENTS

1 c. à soupe (15 ml) d'huile d'olive
1 c. à soupe (15 ml) de moutarde de Dijon à l'ancienne
1 c. à soupe (15 ml) de miel
1/2 c. à soupe (7,5 ml) de vinaigre de cidre de pomme
1/2 c. à thé (2,5 ml) de poudre d'oignon
Sel et poivre, au goût

PRÉPARATION

1. Dans un bol, mélangez tous les ingrédients.
2. Placez les morceaux de viande ou de volaille dans un sac de plastique refermable, versez-y la marinade et laissez mariner au réfrigérateur avant de faire cuire.

MARINADE AU YOGOURT

QUANTITÉ › *4 portions* / **CALORIES ›** *50 par portion*

PRÉPARATION › 8 MINUTES / TOTAL › 8 MINUTES

INGRÉDIENTS

1/2 tasse (125 ml) de yogourt nature 0 % m.g.
1 c. à soupe (15 ml) d'huile d'olive
1 gousse d'ail, hachée
2 c. à thé (10 ml) de zeste de citron
5 feuilles de menthe, hachées
1 c. à thé (5 ml) de cumin
Sel et poivre, au goût

PRÉPARATION

1. Dans un bol, mélangez tous les ingrédients.
2. Placez les morceaux de viande ou de volaille dans un sac de plastique refermable, versez-y la marinade et laissez mariner au réfrigérateur avant de faire cuire.

*Lorsque vous calculez vos calories, soyez honnête.
Ne sous-estimez pas la valeur énergétique des aliments
que vous consommez. Cela pourrait nuire à vos résultats.*

LES DESSERTS

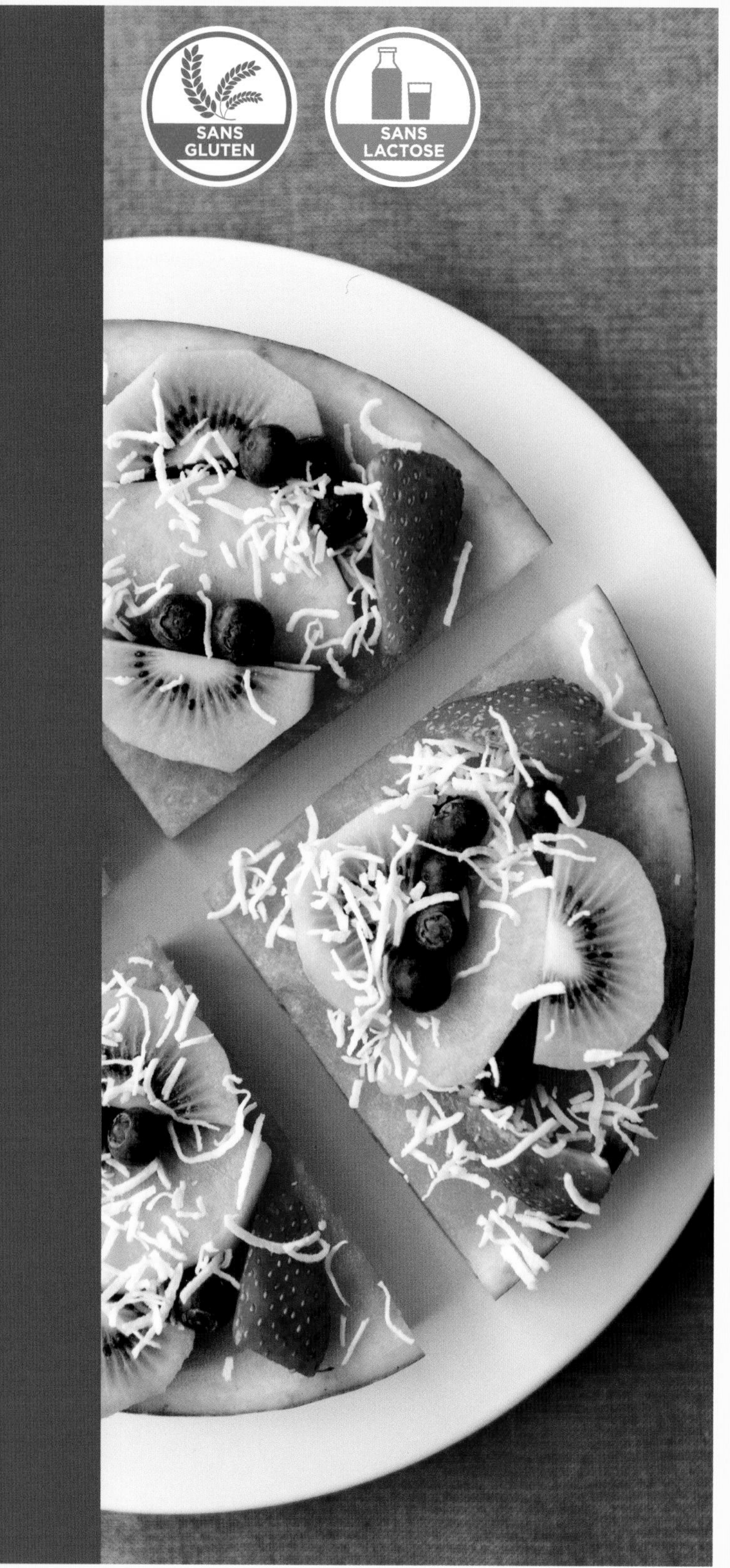

PIZZA AU MELON D'EAU

QUANTITÉ › *4 portions*
CALORIES › *364 par portion*

PRÉPARATION › 10 MINUTES / TOTAL › 10 MINUTES

INGRÉDIENTS

1	tranche de melon d'eau
1	kiwi, tranché en rondelles
1/2	pêche, coupée en quartiers
2	c. à soupe (30 ml) de bleuets
1/4	tasse (60 ml) de fraises, coupées en deux
2	c. à soupe (30 ml) de noix de coco, râpée et sucrée

PRÉPARATION

1. Mettez le melon d'eau sur une surface plane et coupez une tranche de 5 cm d'épaisseur dans la partie la plus large du melon (au centre).
2. Coupez 4 parts, puis garnissez chaque pointe d'une rondelle de kiwi et d'un quartier de pêche.
3. Ajoutez les bleuets et les fraises, puis terminez la décoration en saupoudrant la noix de coco râpée.

Granité à l'orange

QUANTITÉ › *4 portions* / **CALORIES ›** *156 par portion*

PRÉPARATION › 15 MINUTES / TOTAL › 6 HEURES

INGRÉDIENTS

1 tasse (250 ml) d'eau

1/2 tasse (125 ml) de sucre

2 tasses (500 ml) de jus d'orange

1/4 tasse (60 ml) de jus de citron

PRÉPARATION

1. Dans une casserole, mettez l'eau et le sucre, puis portez à ébullition. Remuez jusqu'à ce que le sucre soit entièrement dissous.
2. Dans un plat hermétique, mélangez le jus d'orange et le jus de citron. Ajoutez-y le sucre dissous et mélangez.
3. Refermez le plat et mettez au congélateur 6 heures.
4. Pour défaire le granité en morceaux, grattez à l'aide d'une fourchette et servez.

BOUCHÉES DE BROWNIES

QUANTITÉ › *30 bouchées*
CALORIES › *74 par bouchée*

PRÉPARATION › 15 MINUTES / TOTAL › 30 MINUTES

INGRÉDIENTS

1 1/4 tasse (310 ml) de quinoa cuit
2 œufs
1/2 tasse (125 ml) de cacao non sucré
1/2 tasse (125 ml) de beurre d'amandes
1/2 tasse (125 ml) de pépites de chocolat
1/3 tasse (80 ml) de compote de pommes non sucrée
1/4 tasse (60 ml) d'huile de canola
2 c. à soupe (30 ml) d'essence de vanille
1/2 tasse (125 ml) de sirop d'érable
1/2 c. à thé (2,5 ml) de sel

PRÉPARATION

1. Placez la grille au centre du four. Préchauffez le four à 350 °F (180 °C).
2. Beurrez 30 moules à mini-muffins antiadhésifs ou chemisez de moules en papier.
3. Dans un robot culinaire, mélangez tous les ingrédients.
4. Répartissez la pâte dans les moules. Utilisez une petite spatule ou vos doigts pour aplatir délicatement la pâte dans les moules.
5. Faites cuire au four environ 15 minutes, ou jusqu'à ce qu'un cure-dent inséré au centre en ressorte propre.
6. Laissez refroidir et démoulez.

Far breton

QUANTITÉ › *10 portions* / **CALORIES ›** *144 par portion*

PRÉPARATION › 10 MINUTES / TOTAL › 1 H 15

INGRÉDIENTS

2	tasses (500 ml) de lait 2 % m.g. sans lactose
1	c. à thé (5 ml) d'extrait de vanille
3/4	tasse (180 ml) de farine tout usage
1/2	tasse (125 ml) de sucre
3	œufs
1/2	tasse (125 ml) de pruneaux, dénoyautés

PRÉPARATION

1. Préchauffez le four à 400 °F (200 °C).
2. Dans une casserole, faites chauffer le lait et la vanille 5 minutes, sans porter à ébullition. Retirez du feu.
3. Dans un bol, mélangez la farine et le sucre, puis ajoutez les œufs et le lait. Mélangez bien pour dissoudre les grumeaux.
4. Ajoutez les pruneaux, puis versez dans un moule à cuisson préalablement enduit d'antiadhésif et faites cuire 30 minutes.
5. Réduisez la température du four à 350 °F (180 °C) et poursuivez la cuisson de 15 à 20 minutes.

PAIN PERDU ROULÉ

QUANTITÉ › *5 portions*
CALORIES › *165 par portion*

PRÉPARATION › 10 MINUTES / TOTAL › 14 MINUTES

INGRÉDIENTS

5 tranches de pain blanc sans croute (1 = 90 calories)

1/2 c. à soupe (7,5 ml) de tartinade de chocolat-noisette (voir recette en p. 184)

1/2 tasse (125 ml) de fraises, coupées en deux

1/2 c. à thé (2,5 ml) d'extrait de vanille

1 œuf

3 c. à soupe (45 ml) de lait d'amandes non sucré

Une noisette de beurre

PRÉPARATION

1. À l'aide d'un rouleau à pâte, aplatissez les tranches de pain.
2. Au centre du pain, étalez la tartinade, puis les fraises, et pliez chaque bord vers le centre.
3. Dans un bol, mélangez l'œuf, la vanille et le lait d'amandes, puis plongez chaque rouleau dans le bol.
4. Dans une poêle, faites fondre le beurre, puis faites griller les rouleaux jusqu'à ce qu'ils soient bien dorés.
5. Servez.

Tapioca à la vanille

QUANTITÉ › *6 portions* / **CALORIES ›** *156 par portion*

PRÉPARATION › 15 MINUTES / TOTAL › 1 H 45

INGRÉDIENTS

4 tasses (1 L) de lait de soya nature non sucré

1/3 tasse (80 ml) de sucre

1/3 tasse (80 ml) de tapioca fin

1 œuf

1 gousse de vanille

LA GARNITURE

1 tasse (250 ml) de bleuets

1 c. à soupe (15 ml) de sucre

1/2 c. à soupe (7,5 ml) de jus de citron

PRÉPARATION

1. Dans une casserole, mettez le lait de soya, ¼ tasse (60 ml) de sucre et le tapioca, puis portez à ébullition.
2. Coupez la gousse de vanille en deux dans le sens de la longueur. Avec la pointe du couteau, grattez les graines de vanille et laissez-les tomber dans le lait de soya, avec la gousse.
3. Remuez et laissez mijoter 25 minutes. Retirez la gousse de vanille. Réservez le mélange au chaud.
4. Dans un bol, mélangez l'œuf avec le reste du sucre et le mélange de lait et de tapioca. Mélangez 5 minutes, ou jusqu'à ce que le tout épaississe.
5. Couvrez et mettez au réfrigérateur 1 heure.
6. Dans un bol, mélangez les bleuets, le sucre et le citron.
7. Répartissez le tapioca dans 6 verrines, puis garnissez du mélange de bleuets.

Yogourt glacé aux pêches

QUANTITÉ › *4 portions* / **CALORIES ›** *225 par portion*

PRÉPARATION › 10 MINUTES / TOTAL › 2 H 10

INGRÉDIENTS

4 tasses (1 L) de pêches congelées
2 c. à soupe (30 ml) de miel
1 tasse (250 ml) de yogourt grec à la vanille 2 % m.g.

PRÉPARATION

1. Dans un robot culinaire, réduisez les pêches congelées et le miel en purée.
2. Ajoutez le yogourt et continuez de mélanger 1 minute.
3. Versez le contenu dans un plat hermétique et congelez 2 heures.

CROUSTADE AUX POIRES ET AU CHOCOLAT NOIR

QUANTITÉ › *10 portions*
CALORIES › *170 par portion*

PRÉPARATION › 15 MINUTES / TOTAL › 1 H 15

INGRÉDIENTS

LA CROUTE

1 tasse (250 ml) de flocons d'avoine
3 c. à soupe (45 ml) de farine de riz
1 c. à soupe (15 ml) de sucre
2 c. à soupe (30 ml) d'huile végétale

LA GARNITURE

6 poires Anjou, coupées en quartiers
1 c. à thé (5 ml) d'extrait de vanille
1 c. à thé (5 ml) de fécule de maïs
3 c. à soupe (45 ml) de pépites de chocolat noir

PRÉPARATION

1. Préchauffez le four à 350 °F (180 °C).
2. Dans un bol, mélangez l'avoine, la farine, le sucre et l'huile végétale. Réservez.
3. Dans un autre bol, mélangez les poires avec l'extrait de vanille, la fécule de maïs et les pépites de chocolat.
4. Étendez la garniture aux poires dans un plat carré de 9 x 9 po, légèrement beurré.
5. Étendez la croute sur le dessus.
6. Faites cuire 45 minutes, ou jusqu'à ce que la garniture soit dorée. Laissez refroidir 15 minutes avant de servir.

Coupe de compote de pommes et son croquant

QUANTITÉ › *2 portions* / **CALORIES ›** *188 par portion*

PRÉPARATION › 20 MINUTES / TOTAL › 45 MINUTES

INGRÉDIENTS

LA GARNITURE

- **1** c. à soupe (15 ml) de noix de Grenoble, hachées
- **3** c. à soupe (45 ml) de riz soufflé
- **1** c. à soupe (15 ml) de sucre

LA COMPOTE

- **4** pommes Gala, pelées, épépinées coupées en quartiers
- **1/2** tasse (125 ml) d'eau
- **1/2** gousse de vanille
- **1/2** c. à thé (2,5 ml) de jus de citron
- **1** c. à thé (5 ml) de miel

PRÉPARATION

LA GARNITURE

1. Mettez les 3 ingrédients dans une poêle et faites cuire à feu moyen.
2. Mélangez continuellement pour aérer le sucre.
3. De temps en temps, retirez la poêle du feu et mélangez.
4. Remuez bien et raclez le fond de la poêle jusqu'à ce que le sucre cristallise sur le riz et les noix.
5. Retirez du feu et réservez.

LA COMPOTE

6. Dans une casserole, mettez les pommes, l'eau et le jus de citron.
7. Coupez la gousse de vanille en deux dans le sens de la longueur. Avec la pointe du couteau, grattez les graines de vanille et laissez-les tomber dans la casserole, avec la gousse.
8. Faites cuire à découvert à feu moyen-doux de 20 à 30 min, ou jusqu'à ce que les pommes soient très tendres.
9. Retirez la gousse de vanille et versez le tout dans un robot culinaire. Ajoutez le miel.
10. Mélangez jusqu'à l'obtention d'une consistance homogène.
11. Répartissez dans les coupes et déposez 1 c. à soupe (15 ml) de la garniture par coupe.

SANS GLUTEN
SANS LACTOSE

SANS
LACTOSE

Rondelles de granola

QUANTITÉ › *12 portions* / **CALORIES ›** *160 par portion*

PRÉPARATION › 15 MINUTES / TOTAL › 1 HEURE

INGRÉDIENTS

1/4 tasse (60 ml) de beurre non salé, ramolli
1/2 tasse (125 ml) de cassonade
1 c. à soupe (15 ml) de sirop d'érable
1 pincée de cannelle moulue
1 pincée de gingembre moulu
1 pincée de sel
1 c. à thé (5 ml) d'essence de vanille
2 tasses (500 ml) de flocons d'épeautre (ou d'avoine)
1/2 tasse (125 ml) de germe de blé
3 c. à soupe (45 ml) de graines de lin
1/4 tasse (60 ml) de pacanes, hachées
1/4 tasse (60 ml) de canneberges séchées
1/2 tasse (125 ml) d'eau

PRÉPARATION

1. Préchauffez le four à 350 °F (180 °C).
2. Vaporisez un moule à 12 muffins d'huile végétale.
3. Dans un bol, mélangez les flocons d'épeautre, le germe de blé, les graines de lin, les pacanes hachées et les canneberges. Réservez.
4. Dans une casserole, mettez le beurre, la cassonade, le sirop d'érable, la cannelle, le gingembre et le sel, et chauffez jusqu'à ce que le beurre soit fondu.
5. Retirez du feu et ajoutez la vanille.
6. Versez le mélange liquide sur le mélange sec et ajoutez l'eau.
7. Mélangez le tout.
8. Répartissez le mélange dans les moules. Aplatissez-le délicatement à l'aide d'une spatule ou de vos doigts.
9. Mettez au four de 30 à 35 minutes.
10. Laissez refroidir 20 minutes avant de démouler.

VERRINES DE QUINOA ET DE YOGOURT

QUANTITÉ › *4 portions*
CALORIES › *120 par portion*

PRÉPARATION › 5 MINUTES
TOTAL › 15 MINUTES

INGRÉDIENTS

- **1/2** tasse (125 ml) de quinoa cru
- **1/2** tasse (125 ml) de framboises fraîches
- **1/2** tasse (125 ml) de bleuets frais
- **1/2** tasse (125 ml) de yogourt grec 0 % m.g.
- **4** fraises, coupées en morceaux

PRÉPARATION

1. Faites cuire le quinoa selon les instructions sur l'emballage et laissez refroidir.
2. Commencez l'assemblage en déposant le yogourt dans le fond des verrines.
3. Ajoutez le quinoa cuit et ensuite les petits fruits.

Barres au riz et au quinoa croustillant

QUANTITÉ › *8 portions* / **CALORIES ›** *185 par portion*

PRÉPARATION › 15 MINUTES / TOTAL › 1 HEURE

INGRÉDIENTS

- **2** c. à soupe (30 ml) de beurre non salé
- **2** tasses (500 ml) de mini-guimauves
- **1 1/2** tasse (375 ml) de riz soufflé
- **1 1/2** tasse (375 ml) de quinoa soufflé
- **130** g de chocolat noir 70 %
- **1** c. à soupe (15 ml) de lait de soya nature non sucré

PRÉPARATION

1. Dans une casserole, faites fondre le beurre, puis ajoutez les guimauves. Mélangez jusqu'à l'obtention d'une consistance homogène. Retirez du feu.
2. Ajoutez rapidement le riz et le quinoa soufflé. Mélangez pour enrober le tout.
3. Versez dans un moule rectangulaire préalablement tapissé de papier parchemin. Aplatissez la surface à l'aide d'une spatule.
4. Mettez au réfrigérateur 30 minutes.
5. Coupez en 8 morceaux.
6. Hachez le chocolat, puis faites-le fondre dans un bain-marie avec le lait de soya.
7. Retirez du feu, puis trempez un côté des barres. Saupoudrez le chocolat avec quelques grains de quinoa soufflé.
8. Laissez le chocolat durcir et servez.

TARTINADE DE CHOCO-NOISETTE MAISON

QUANTITÉ › *16 portions de 15 ml* / **CALORIES ›** *65 par portion*

PRÉPARATION › 15 MINUTES

INGRÉDIENTS

3/4 tasse (180 ml) de noisettes nature
1/4 tasse (60 ml) de poudre de cacao non sucrée
1/3 tasse (80 ml) de sucre
1 c. à soupe (15 ml) d'huile de tournesol
1 c. à soupe (15 ml) de lait écrémé
1/2 tasse (125 ml) d'eau froide

PRÉPARATION

1. Préchauffez le four à 350 °F (180 °C).
2. Déposez les noisettes sur une plaque à pâtisserie et mettez-les au four 8 minutes en les brassant à quelques reprises. Sortez les noisettes du four et laissez-les refroidir complètement.
3. Dans un robot culinaire, réduisez les noisettes en poudre fine.
4. Ajoutez le cacao, le sucre, le lait, l'huile et l'eau.
5. Mélangez jusqu'à l'obtention d'une pâte homogène et lisse.

Bon à savoir

Saviez-vous que les noisettes pouvaient vous aider à réduire votre taux de cholestérol sanguin ? Des études ont démontré que la consommation de 70 g de noisettes par jour pendant 30 jours diminuait le cholestérol total et le « mauvais » cholestérol (LDL). Elles pouvaient également générer une élévation de l'activité antioxydante dans le sang, ce qui protège les cellules du corps contre les radicaux libres.

SANS
GLUTEN

SANS
LACTOSE

Biscuits à la noix de coco et aux cerises

QUANTITÉ › *30 biscuits* / **CALORIES ›** *100 par biscuit*

PRÉPARATION › 15 MINUTES / TOTAL › 22 MINUTES

INGRÉDIENTS

1 1/2 tasse (375 ml) de farine de blé entier
1 tasse (250 ml) de noix de coco râpée, non sucrée
1 c. à thé (5 ml) de bicarbonate de soude
1/2 c. à thé (2,5 ml) de sel
6 c. à soupe (90 ml) de margarine non hydrogénée
3/4 de tasse (180 ml) de cassonade
1/2 tasse (125 ml) de cerises séchées
1/4 tasse (60 ml) d'amandes en bâtonnets
1 c. à thé (5 ml) d'extrait de vanille
1 œuf, battu

PRÉPARATION

1. Préchauffez le four à 350 °F (180 °C).
2. Tapissez de papier parchemin 2 plaques à biscuits.
3. Dans un grand bol, mettez les 4 premiers ingrédients et mélangez-les bien.
4. Dans une petite casserole, faites fondre la margarine à feu doux.
5. Retirez du feu et ajoutez la cassonade et la vanille. Mélangez jusqu'à l'obtention d'une texture lisse.
6. Ajoutez ce mélange au premier et mélangez jusqu'à ce que le tout soit homogène.
7. Ajoutez les cerises, les amandes et l'œuf, puis mélangez.
8. À l'aide d'une cuillère à thé, faites de petites boules avec la pâte et disposez-les à deux pouces de distance les unes des autres sur la plaque à biscuits. Aplatissez-les légèrement.
9. Faites cuire 6 minutes, retirez du four et aplatissez doucement les biscuits.
10. Remettez au four et faites cuire encore 6 minutes.
11. Sortez du four et laissez refroidir quelques minutes avant de servir.

BOULETTES AUX DATTES

QUANTITÉ › *18 boulettes*
CALORIES › *70 par boulette*

PRÉPARATION › 1 H 20

INGRÉDIENTS

2 tasses (500 ml) de dattes Medjool, dénoyautées
1/3 tasse (80 ml) d'eau
1/4 c. à thé (1,25 ml) de gingembre frais, râpé
1 1/2 c. à thé (7,5 ml) de fromage à la crème léger
3/4 tasse (180 ml) de noix de coco râpée et non sucrée
1/4 tasse (60 ml) de cerises séchées

PRÉPARATION

1. Dans un robot culinaire, mélangez les 4 premiers ingrédients avec ¼ tasse (60 ml) de noix de coco jusqu'à l'obtention d'une consistance homogène.
2. Transvidez le mélange dans un bol et ajoutez les cerises. Mélangez bien.
3. Formez des boulettes de 1 po (2,5 cm) et enrobez-les avec le reste de la noix de coco.
4. Réfrigérez 1 heure avant de consommer.

Vous pouvez faire rôtir la noix de coco râpée au four pour donner un goût plus prononcé aux boulettes.

Petits gâteaux moka

QUANTITÉ › *6 petits gâteaux (18 portions)* / **CALORIES ›** *162 par portion*

PRÉPARATION › 15 MINUTES / TOTAL › 1 HEURE

INGRÉDIENTS

- **2 1/2** tasses (625 ml) de farine de blé entier
- **1** tasse (250 ml) de sucre
- **1/2** tasse (125 ml) de cacao
- **1** c. à thé (5 ml) de poudre à pâte
- **1** c. à thé (5 ml) de bicarbonate de soude
- **1/2** c. à thé (2,5 ml) de sel
- **1** tasse (250 ml) de lait de soya nature sans sucre
- **1/2** tasse (125 ml) de café fort, refroidi
- **1/2** tasse (125 ml) d'huile végétale
- **1** c. à thé (5 ml) d'extrait de vanille
- **1** c. à thé (5 ml) de vinaigre de cidre de pomme

PRÉPARATION

1. Placez la grille au centre du four. Préchauffez le four à 350 °F (180 °C).
2. Graissez 6 petits moules à pain (5 ¾ x 3 ¼ x 2 po) .
3. Dans un bol, mélangez la farine, le sucre, le cacao, le bicarbonate de soude, la poudre à pâte et le sel. Réservez.
4. Dans un autre bol, mélangez le lait de soya, le café, l'huile, la vanille et le vinaigre de cidre de pomme.
5. Ajoutez les ingrédients secs à la préparation humide et mélangez juste assez pour humecter.
6. Répartissez la pâte dans les moules. Faites cuire au four de 35 à 40 minutes, ou jusqu'à ce qu'un cure-dent inséré au centre en ressorte propre. Laissez refroidir quelques minutes.

MOUSSE À LA CITROUILLE

QUANTITÉ › *3 portions* / **CALORIES ›** *131 par portion*

PRÉPARATION › 15 MINUTES / TOTAL › 25 MINUTES

INGRÉDIENTS

LA GARNITURE

4 c. à soupe (60 ml) de quinoa soufflé

1 c. à soupe (15 ml) de sucre

LA MOUSSE

1 blanc d'œuf

3/4 tasse (180 ml) de purée de citrouille

1 tasse (250 ml) + 3 c. à soupe de yogourt grec à la vanille 0 % m.g.

1 c. à soupe (15 ml) d'édulcorant Splenda

1 c. à thé (5 ml) de sirop d'érable

1/4 c. à thé (1,25 ml) de gingembre, moulu

1/4 c. à thé (1,25 ml) de cannelle, moulue

1 pincée de clous de girofle, moulus

PRÉPARATION

LA GARNITURE

1. Mettez les 2 ingrédients dans une poêle et faites cuire à feu moyen.
2. Mélangez continuellement pour aérer le sucre.
3. De temps en temps, retirez la poêle du feu et mélangez.
4. Remuez bien et raclez le fond de la poêle jusqu'à ce que le sucre cristallise sur le quinoa.
5. Retirez du feu et réservez.

LA MOUSSE

6. À l'aide d'un mélangeur électrique, battez le blanc d'œuf à haute vitesse.
7. Ajoutez le Splenda. Battez à vitesse accélérée jusqu'à la formation de pics fermes. Réservez.
8. Dans un autre bol, mélangez la purée de citrouille, 1 tasse (250 ml) de yogourt, le sucre, le sirop d'érable et les épices jusqu'à l'obtention d'une consistance homogène.
9. À l'aide d'une spatule, incorporez délicatement le blanc d'œuf au mélange de citrouille en pliant.
10. Répartissez dans les coupes en déposant 1 c. à soupe (15 ml) de yogourt et 1 ½ c. à soupe (20 ml) de la garniture par coupe.

SANS
GLUTEN

Mot de la fin

Nous espérons que vous avez eu autant de plaisir que nous à mettre en pratique ce qui se trouve dans ce livre. Pour certains, c'est un nouveau départ, tandis que pour d'autres, c'est la continuité de leur processus de remise en forme. Peu importe votre objectif, rappelez-vous qu'il est important de trouver votre propre vitesse de croisière afin de vous permettre d'atteindre vos objectifs santé. Si vous avez besoin d'aide supplémentaire, sachez que plusieurs options s'offrent à vous. En effet, vous pouvez participer à une foule d'événements que nous organisons au Québec ou dans d'autres pays. Également, vous pourrez trouver du soutien en ligne sur le site web de la méthode SOS Santé. Pour plus d'informations, visitez le methodesossante.ca.

Bonne santé !

– Chantal et Jimmy